COLI

Fabrice Caro

Le discours

Gallimard

Cet ouvrage a précédemment paru dans la collection Sygne
aux Éditions Gallimard.

Fabrice Caro est né en 1973. Il a écrit et dessiné une trentaine de bandes dessinées, dont le fameux *Zaï zaï zaï zaï*. Il est aussi l'auteur de deux romans parus aux Éditions Gallimard, *Figurec* (2006) et *Le discours* (2018).

Tu sais, ça ferait très plaisir à ta sœur si tu faisais un petit discours le jour de la cérémonie. Il laisse tomber ces quelques mots, comme ça, sans plus d'ornements, sans même me regarder, appliqué à se servir un verre de vin rouge qu'il vide dans la foulée. Le détachement, l'absence totale de solennité qu'il imprime à cette phrase empêchent toute négociation. Débattre d'une telle proposition relève du superflu, voire du grotesque. J'ai beau chercher, je n'y décèle pas l'ombre d'une intonation interrogative. Son autorité naturelle ne s'encombre d'aucune question, de volume sonore, de regard droit. *Rien de très élaboré, hein, quelques mots, ça la toucherait beaucoup.* Oui oui, bien sûr, avec plaisir. C'est tout ce que je trouve à répondre. Ma sœur et ma mère reviennent de la cuisine à ce moment-là, il ne manquait plus que ça pour me pourrir la soirée, un discours.

De ma place, je peux apercevoir le porte-serviettes au mur de la cuisine et m'étonne d'être encore traumatisé, trente ans après, par ce chef-d'œuvre d'ébénisterie initié par notre professeur de technologie de sixième en guise de cadeau de Noël pour nos parents. Il s'agissait d'élaborer un porte-serviettes en forme de sapin à partir d'une planchette rectangulaire, l'exercice avait pour but de nous familiariser avec le tour, la meuleuse, la fraiseuse et autres outils aux noms barbares dont l'utilité nous échappait et m'échappe encore aujourd'hui pour tout dire. Nous devions ensuite clouer trois épingles à linge sur la planchette et le tour était joué, un jeu d'enfants. À ceci près que, très vite, la situation m'échappa et mon sapin se mit à prendre une forme aussi incongrue que périlleuse. J'avais beau tenter de rectifier le tir, scier, meuler, limer, fraiser, rien à faire, j'assistais, impuissant, à la genèse d'une forme qui prenait vie malgré moi, revendiquait son indépendance avec morgue et rébellion, et je regardais, hébété, paniqué, mon porte-serviettes de Noël s'éloigner du concept initial de sapin pour se rapprocher lentement mais sûrement de celui de bite. Plus je m'acharnais à m'en écarter, plus elle se dessinait. Plus je visais le sapin, plus la bite se précisait. À la fin de la séance, ma production provoqua l'hilarité de tous mes camarades et le professeur, n'y voyant qu'une provocation potache, me gratifia d'une retenue. Le 25 décembre, j'offris donc à mes parents une bite en contreplaqué en guise de cadeau de Noël, cadeau que ma mère trouva si charmant qu'elle s'empressa de l'accrocher au mur de la cuisine malgré mes protestations paniquées, interprétées comme de la modestie mal placée. Toute mon adolescence, l'estomac tordu par l'angoisse, je vis ainsi défiler dans la cuisine de mes parents des visiteurs qui ne manquaient jamais de jeter un œil au porte-serviettes avec un certain désarroi, bien que, par ce que je suppose être une sorte de savoir-vivre, personne ne fît jamais la moindre allusion. Qu'est-ce qu'il peut bien passer par la tête des invités qui découvrent une bite en contreplaqué sur le mur de la cuisine d'un couple de tranquilles septuagénaires ? Quelle explication tangible peut-il y avoir à ce parti pris décoratif ? Chaque fois que je reviens voir mes parents, je tente un furtif et détaché *Depuis le temps, tu pourrais enlever cette vieillerie non ?* Et ma mère de répondre invariablement *Non non, tu l'avais fait avec amour, il restera là jusqu'à ma mort.* Je n'ai jamais su si ma mère était la seule à ne pas voir que le porte-serviettes représentait une bite ou si elle avait peur de me blesser en le retirant, et avait décidé contre vents et marées d'être du côté de sa progéniture, telle la mère dont le fils psychopathe a assassiné plusieurs personnes à l'arme de poing et qui s'obstine à défendre la thèse de l'accident. N'importe qui à ma place aurait clos le dossier en une simple phrase, Enfin maman, tu vois bien que ce truc ressemble à une bite, enlève ça voyons. Mais je n'ai jamais entretenu avec mes parents autre chose que des rapports naviguant mollement entre non-dit, consensus respectueux et acceptation polie, un non-rapport, cette volonté de ne jamais faire de vagues pour ne pas avoir à les surmonter. Schéma que par la suite je ne cesserais de reproduire avec les filles que je croiserais tout au long de mon existence. Et m'apparaît alors ce bilan assez terrifiant que ma vie affective n'aura été au fond qu'une acceptation résignée de bites en contreplaqué sur un mur de cuisine.

Coucou Sonia, j'espère que tu vas bien, bisous!

Je m'étais promis de ne pas lui écrire. Par une sorte de théorie qui veut que l'absence renforce la présence, qu'il faut nourrir la cristallisation comme on nourrit un animal de compagnie, créer le manque, laisser le champ libre au mystère. Que fait-il? Où est-il en ce moment? M'a-t-il déjà oubliée? Ce n'était peut-être pas le bon choix, pourquoi l'ai-je quitté? Au fond, avais-je une bonne raison de le faire? Suis-je vraiment plus heureuse maintenant? Mon Adrien, mon tendre Adrien. Mais j'avais craqué, comme un alcoolique abstinent depuis deux jours qui se dit qu'après tout une petite goutte ne peut pas lui faire de mal. J'ai envoyé mon message à 17 h 24, juste avant de partir, et il a été lu à 17 h 56. Quand j'ai découvert qu'elle était en train de le lire, j'ai été transporté par une joie irrationnelle, de celles qui accompagnent les nouveaux départs, un souffle de renouveau a fouetté mon visage, elle lit mon message, elle a eu cette envie-là, cet élan, elle a voulu savoir ce que je lui écrivais, je ne lui suis pas indifférent, tout allait recommencer comme avant. Mais, les minutes passant, la perspective d'avoir une réponse instantanée s'éloignait dangereusement et il m'apparaissait peu à peu que c'était le ton même de mon message qui était la cause de ce silence. Je l'avais voulu détaché, léger, d'une brièveté exemplaire, pour ne pas l'effrayer, ne pas la faire fuir, ne pas laisser transparaître le moindre signe d'attente, et surtout pas l'ombre d'un ressentiment ou d'une rancœur quelconque, je voulais que ce message dise *Tout va bien, si tu as besoin de moi, je suis là*, mais peut-être sa légèreté excessive n'appelait-elle pas de réponse particulière.

Peut-être n'est-elle tout simplement pas en mesure de me répondre ? Quelle activité, à 17 h 56, justifie qu'on soit dans l'incapacité de répondre à un message ? Peut-être était-elle en voiture à ce moment-là, elle a attrapé son portable posé sur le siège passager, a commencé à écrire, un simple mot, *Je conduis, je te réponds dès que je rentre, je t'embrasse*, et, l'attention tout à son écran, n'a vu qu'au dernier moment le père et son fils à vélo sur le bord de la route, tous deux affublés d'un casque et d'un gilet fluo, elle a donné un coup de volant réflexe et a percuté de plein fouet la voiture qui arrivait en face. Elle est à l'hôpital, rien de grave, quelques contusions, les cervicales, une semaine de minerve et tout devrait rentrer dans l'ordre. Elle veut me prévenir, mais son portable est resté dans la chambre avec ses affaires, elle demande à l'infirmière, une grande rousse un peu forte aux petits yeux bleus, type allemand, bien qu'il y ait écrit Nathalie sur son badge, elle demande à Nathalie si elle pourrait avoir son portable. Tututut, lui répond Nathalie d'un ton qui se veut maternel mais qui ne parvient pas à dissimuler une ferme autorité naturelle, tututut, les examens d'abord, ne vous inquiétez pas, on vous ramène dans la chambre immédiatement après, vous aurez tout le temps de lui écrire à votre amoureux. On ne plaisante pas avec Nathalie, les enfants de Nathalie savent que s'ils renversent du lait et des corn flakes sur la table du petit déjeuner, ils doivent sans un mot aller chercher l'éponge dans l'évier pour nettoyer, Nathalie leur a enseigné ça : il existe des règles, ce n'est pas aux autres de réparer nos bêtises, la vie est une jungle les enfants, on naît seul on vit seul on meurt seul, personne ne nettoiera le lait aux corn flakes à votre place. Aussitôt les examens terminés, Sonia aura été prise dans le flot de l'administratif hospitalier, les papiers à remplir, la pharmacie, et puis peut-être sa mère à appeler, pour la rassurer, et puis elle s'est dit j'appellerai Adrien plus tard, je ne vais pas l'inquiéter avec ça. Mon Adrien. Mon tendre Adrien.

Adrien, je te sers ? Tu aimes le poivron ? Je n'arrive jamais à me souvenir. Non Sophie, je n'aime pas le poivron, j'ai toujours détesté ça, tu n'as jamais su quels étaient mes goûts, Sophie, jamais tu ne t'es demandé ce qui m'intéressait réellement, ce qui me passionnait. Pour mon anniversaire tu m'as toujours offert des encyclopédies. Des encyclopédies ! De huit à quarante ans, chaque année, à chacun de mes anniversaires : une encyclopédie. Fais le compte, Sophie : trente-deux encyclopédies, trente-deux ! Avec toujours la même phrase d'accompagnement : Tiens frérot, bon anniversaire, avec toi c'est facile, tu adores lire, un livre et on sait que tu es content, c'est pas comme maman, elle je sais jamais quoi lui acheter, elle c'est difficile de lui faire plaisir. Je les ai toutes eues, toutes, des encyclopédies sur le système solaire, l'univers, les oiseaux, les insectes, le football, le Moyen Âge, les primates, les félins,

17

l'Égypte, les instruments de musique, les grottes, les fleurs, les chevaux, les montagnes de France, le ski, j'ai même eu deux fois l'encyclopédie sur la préhistoire – à quinze ans et à vingt-deux ans. Quand Internet a fait son apparition, je me suis dit : non, elle ne va quand même pas oser, pas à l'ère du numérique, pas maintenant qu'il suffit d'un clic pour obtenir la moindre information sur n'importe quel sujet. Mais si. Encyclopédie. Comme une sorte de running gag, mais un running gag qui ne serait pas destiné à faire rire. Pourquoi des encyclopédies ? En trente-deux ans, tu imagines bien que j'ai eu le temps de me poser la question. Je cherche encore la réponse. Inutile de te dire que je n'ai jamais ouvert une seule de ces encyclopédies. Sauf peut-être la première. À la deuxième, déjà, intuitivement, je savais que c'était plié, j'avais compris que désormais mes anniversaires ne t'empêcheraient pas de dormir. Chaque année, je les rangeais dans ma bibliothèque où elles finiraient paisiblement leur vie sans jamais voir le jour. J'aurais pu m'en débarrasser, les jeter, les donner au Secours populaire, les offrir à mon tour, les revendre sur eBay, mais c'était risqué : même si tu n'es pas souvent venue chez moi, chaque fois, tu ne manquais jamais de jeter un œil distrait à la bibliothèque, comme pour t'assurer que j'étais toujours féru d'encyclopédies. De fait, quand je savais que tu venais, je les plaçais bien en vue, dans le coin spécial encyclopédies, comme on s'applique à porter le pull qui gratte que la grand-tante nous a offert lorsqu'on va la voir. Quand quelqu'un venait chez moi, il finissait toujours par s'approcher de la bibliothèque. Tiens, tu t'intéresses aux encyclopédies ? Et, eux aussi, à la moindre occasion, m'offraient une encyclopédie. Grâce à toi, Sophie, j'ai été promu passionné d'encyclopédies, on m'a imposé une passion que je n'ai jamais osé démentir, comme je n'ai jamais démenti le moindre malentendu me concernant, tout autant par lâcheté que par paresse. À mon ancien boulot, tout le monde m'a appelé Aurélien pendant deux ans sans que j'ose rectifier. Alors tu vois, on n'est plus à ça près, Aurélien, passionné d'encyclopédies, ça ou autre chose, qu'importe, la réalité ne vaut pas suffisamment la peine pour que je m'échine à la faire exister. Non, merci Sophie, pas de poivron s'il te plaît. *Ah c'est bien ça, c'est le poivron que tu n'aimes pas, je ne sais jamais si c'est le poivron ou le concombre.* C'est pourtant facile à retenir, Sophie : le poivron et les encyclopédies.

Tu sais, ça ferait très plaisir à ta sœur si tu faisais un petit discours le jour de la cérémonie. Peut-être ai-je mal perçu le ton de sa requête, peut-être n'était-ce au fond qu'une simple demande de service que j'ai prise un peu vite pour une injonction sans discussion possible. Après tout, il me suffit de lui dire, le plus simplement du monde, Ludo, écoute, je le sens pas, c'est une très bonne idée cette histoire de discours, indéniablement, c'est même un honneur que tu me fais pour votre mariage, ça me touche beaucoup, mais tu sais, il vaut mieux que ce soit quelqu'un d'autre qui s'en charge, je ne pense pas être la personne la plus apte à m'acquitter de cette mission. Voilà. J'attendrai que ma sœur s'absente à nouveau et je le lui dirai, ce n'est pas si compliqué après tout. Moins compliqué par exemple que de rédiger un message sobre et léger qui appelle une réponse à 17 h 56. Et je réalise tout à coup l'incongruité de ma ponctuation : pourquoi un point d'exclamation à la fin de *bisous* ? Pourquoi cet emballement soudain ? Ce point d'exclamation délivre un message inverse à celui souhaité : ce point d'exclamation est une demande, une supplique, un cri de douleur, il mendie une réponse, il quémande de l'amour, c'est de la ponctuation de genou à terre, il hurle *Sonia, bordel, qu'est-ce que tu fous ? Réponds-moi ! Tu vois pas que je suis malade de chagrin, que je n'y arrive pas sans toi, que tout est vide et fade et sans le moindre sens ?* Il se veut festif et léger mais il n'est que larmoyant et inquiet. Un message parfait de sobriété gâché au tout dernier moment, dans le tout dernier mètre. Pourquoi ne pas m'être contenté d'un simple point ? Un point final dans toute sa splendeur, au sommet de son art, qui conclut dignement une merveilleuse histoire d'amour et part sans se retourner, princier, un point serein, mesuré, au flegme britannique, un point qui n'attend rien en retour, que le bonheur de l'autre, mais qui le laisse en réalité dans un vide abyssal. Derrière un point final, on n'a qu'une seule envie, c'est que rien ne finisse. Et j'envisage une seconde de lui envoyer un erratum, *Oups, désolé, mon portable a un problème, il met des points d'exclamation au lieu de points finaux. Bisous* (point final).

J'ai besoin d'une pause. Voilà ce qu'elle m'avait annoncé un soir, il y a exactement trente-huit jours, sans préambule, sans autre explication ni justification, débrouille-toi avec ça. Elle n'avait pas trouvé nécessaire d'en dire plus, comme si on savait très bien, elle et moi, ce qui justifiait ce besoin de pause, comme si toute forme d'explication était superflue car cette pause était l'aboutissement naturel d'un processus qu'on avait perçu tous les deux. Sauf que non. Je n'avais rien vu venir, la brutalité du message autant que sa formulation lapidaire m'avaient giflé. Dans la vraie vie, on ne dit pas *J'ai besoin d'une pause*, ça ne se fait pas, ce n'est pas inscrit dans les codes sociaux. Lorsqu'on est invité à un repas, par exemple, on ne se lève pas soudain en disant *J'ai besoin d'une pause*, on ne prend pas son imper dans le vestibule et on ne claque pas la porte sans autre explication ni justification que *J'ai besoin d'une pause.* On dit par exemple *Je suis désolé, ma mère a fait un AVC, je suis très inquiet, je dois vous quitter,* ou bien *Je suis désolé, je suis vegan, je ne supporte pas la vue de ce gigot et de manière générale tout ce qui rappelle la souffrance animale, ce n'est pas contre vous, je suis hyper sensible, excusez-moi,* on ne dit pas *J'ai besoin d'une pause* sans rien derrière, sans rien autour. Pourquoi le couple, fût-il dans une passe délicate, ne requerrait-il pas les mêmes règles de bienséance qu'un repas chez des amis amateurs de gigots ? Qu'est-ce que j'ai fait pour susciter un besoin de pause aussi pressant et abrupt ? Depuis trente-huit jours tourne en boucle une somme d'hypothèses et je me repasse le film de nos derniers mois, à quel moment a-t-elle basculé en mode pause ? Qu'ai-je fait de particulièrement pausifère ? Peut-être tout simplement m'être laissé aller à être moi, peut-être ne faut-il jamais être soi dans l'intimité si l'on veut qu'une relation dure comme au premier jour, persévérer à exhiber l'appartement témoin contre vents et marées, se contenter de montrer la vitrine. Le jour où l'on ouvre la porte de l'arrière-boutique, on crée un appel d'air et tout s'envole comme un tas de feuilles posées sur un bureau.

Sonia et moi nous sommes rencontrés à une soirée de réveillon, et elle m'avait immédiatement fait penser à Isabelle, une fille dont j'avais été fou amoureux à la fac. Isabelle appartenait à cette génération d'étudiantes qui voulait partir en Afrique, à cette époque c'était une fatalité qui s'abattait sans prévenir sur une certaine frange de la population féminine, on n'y échappait pas, l'acné à douze ans, l'Afrique à dix-neuf, elles attrapaient l'Afrique comme on attrape la varicelle. On les voyait, du jour au lendemain, transfigurées, transmutées, déambuler vêtues de sarouels informes, le vêtement le moins sexy qui soit, transformant le campus en immense course en sac. Tout juste sarouélisées, elles vous toisaient, vous écoutaient à peine, vos problèmes n'en étaient pas vraiment pour elles que la plaie suintante de l'Afrique empêchait de vivre sereinement. La pupille lointaine, elles savaient, elles, la valeur des choses. Lors de leurs prochaines vacances, elles allaient apporter des stylos au Bénin, peux-tu seulement comprendre ça dans ton petit cerveau étriqué d'Occidental nanti : des stylos au Bénin. Elles s'attelaient alors à une collecte parmi leur entourage, collecte qui avait moins pour fonction de collecter que de montrer qu'elles collectaient. S'engageait alors pour certains d'entre nous une course-poursuite quotidienne, voyant arriver les sarouels de loin, un vent de panique se levait, merde les stylos, quoi les stylos, les stylos, j'ai promis à Isabelle de lui faire passer un stock de stylos pour le Bénin et j'ai complètement oublié. Ainsi des groupes entiers de cerveaux étriqués d'Occidentaux nantis allaient se planquer à toutes jambes dans les toilettes de la cafétéria en attendant que l'Afrique soit passée. Je n'étais pas plus sensible que mes camarades au sort du Bénin à vrai dire, mais il m'était apparu très vite que si je voulais intéresser Isabelle, il fallait que l'Afrique m'intéresse. La misère de l'Afrique était un levier idéal pour régler ma propre misère sexuelle. Ainsi, tous les matins, j'allais la voir avec un stylo, un seul, ce qui était, je le concevais, parfaitement absurde, j'aurais très bien pu lui en donner quatre, cinq, dix, en une seule fois, mais la répartition de mes dons permettait de multiplier les occasions de la croiser. La première fois que je m'étais approché d'elle, mon stylo à la main, j'étais aussi fébrile que si je me rendais à mon premier rendez-vous. *Tiens, Isabelle, pour le Bénin.* Cette phrase, *Tiens, Isabelle, pour le Bénin*, mille fois je l'avais tournée en boucle, la veille, dans ma chambre de cité U, face au petit miroir qui surplombait mon lavabo. Après des dizaines de versions, à force de travail et d'acharnement, j'étais parvenu à lui insuffler une tonalité d'une modestie héroïque, mélange de détachement et d'implication tourmentée de celui pour qui ce geste est naturel car ne sommes-nous pas tous au fond citoyens du monde et n'est-ce pas la moindre des choses d'aider son prochain quand on a la chance de vivre dans un pays développé ? Elle avait accueilli mon premier stylo avec un enthousiasme surpris qui m'avait encouragé à sauver le monde à nouveau dès le lendemain, et le jour d'après, et celui d'encore après, toujours armé de mon unique stylo quotidien. Mais au fil des jours, je voyais son expression perdre en enthousiasme pour gagner en inquiétude, glisser lentement du *Ah cool des stylos !* à quelque chose qui se rapprochait de *Encore un stylo ?...* À tel point qu'il me sembla qu'elle commençait à m'éviter, infléchissant sa trajectoire dès qu'elle m'apercevait de loin. Mais j'étais probablement paranoïaque, pourquoi m'aurait-elle évité, pourquoi se serait-elle privée de mon aide, elle et moi avions un pays à sauver. Un jour, la sentence est tombée, j'aurais dû m'y attendre, notre idylle stylographique ne pouvait pas durer éternellement, c'était trop beau. *Merci beaucoup Adrien, c'est super sympa, maintenant j'ai tout ce qu'il me faut, j'ai suffisamment de stylos, merci pour tout.* Suffisamment ? Comment pouvait-elle en avoir suffisamment ? À raison d'un stylo par jour depuis trois semaines, sans compter les week-ends, je ne lui avais fourni en tout et pour tout que quinze stylos ! Comment pouvait-elle prétendre sauver le Bénin avec quinze stylos ? Je m'étais permis d'insister gentiment mais elle m'avait lancé d'une voix que je ne lui connaissais pas *Écoute maintenant tu me lâches avec tes stylos, d'accord ?!* L'année suivante, je l'avais croisée sans son sarouel mais avec une espèce de gilet en laine orange et un pantalon pattes d'éph vert pomme. Elle avait visiblement décrété son action aboutie et allait désormais consacrer son temps à collecter des taille-crayons pour Calcutta.

Quand nous nous étions retrouvés côte à côte Sonia et moi, près du buffet, la ressemblance avait induit un processus inconscient bizarre et je m'étais mis à lui parler de l'Afrique, alors que je me fiche éperdument de l'Afrique, que je ne connais absolument rien à l'Afrique, et j'avais lu dans ses yeux que c'était probablement le sujet qui l'intéressait le moins au monde. Avec le recul, il faut bien avouer que tout ça partait très mal.

Tu as l'air fatigué Adrien, tu es sûr que tu dors assez ? Ma mère me trouve toujours fatigué, toujours amaigri, toujours pâle. Non maman, je ne suis pas fatigué, je vieillis, j'ai quarante ans, j'ai perdu mes illusions, je ne ris plus comme à treize ans, j'ai moins envie, c'est comme ça, tu aurais envie de rire toi si tu avais mis un point d'exclamation à *bisous* ? Tu aurais envie de rire si ton beau-frère venait de te demander de faire un discours pour son mariage ? Non, évidemment. N'importe qui aurait l'air fatigué après une telle requête, maman.

L'année de mes trente ans, j'ai sombré dans une profonde dépression. Un chagrin d'amour, un de plus. J'étais revenu passer quelques jours chez mes parents, j'avais besoin de repli fœtal, de retour aux sources, quand bien même je n'avais plus rien de commun avec la source. Je me souviens qu'un soir, pendant que ma mère préparait le repas, debout dans la cuisine, j'avais essayé de lui parler de mon mal, la dépression, sans l'affoler, mais sans l'épargner non plus, j'avais besoin de partager ça avec elle, lui dire à quel point j'étais rongé, à quel point j'en souffrais, ce à quoi elle avait répondu : *Tu dois boire du jus d'orange.* Voilà. C'était ça la solution de ma mère, boire du jus d'orange. Je vivais avec l'idée de la mort en permanence, le monde autour de moi était un gouffre sans fond, je n'étais plus en mesure de percevoir l'extérieur autrement qu'à travers un filtre charbonneux, la finitude m'apparaissait en toute chose, et ma mère me conseillait de boire du jus d'orange.

Le soir même de mes trente ans, j'étais sur le canapé avec mes parents et nous avions regardé *Le gendarme de Saint-Tropez*, et c'est probablement la définition la plus précise que l'on puisse donner de la dépression. C'était l'été, c'était un samedi soir, le monde s'activait, grouillait, ailleurs il y avait des festivals, des concerts, des familles en short sur la plage, des rires, des cocktails aux noms brésiliens, de la moiteur au clair de lune, des tubes de l'été qui font se frotter les ventres les uns contre les autres, moi je regardais Louis de Funès courir derrière des filles nues, et mes parents riaient comme si ce n'était pas la trente-sixième fois qu'ils voyaient cette scène. Si à dix-sept ans on m'avait dit : *Le soir de tes trente ans, tu regarderas* Le gendarme de Saint-Tropez *seul avec tes parents*, je ne sais pas si j'aurais eu envie de continuer la route, et j'en ai quarante et à 17 h 56 elle a lu mon message sans y répondre, et la vie est un éternel recommencement, et il est écrit que je passerai toutes mes dizaines d'années chez mes parents avec le cœur broyé. À cinquante ans, je serai là, assis à la même place, et une Élodie, une Alice, une Chloé m'aura brisé le cœur et Ludo me glissera dans le creux de l'oreille *Dis, ça ferait très plaisir à ta sœur si tu faisais un petit discours pour la communion de Kévin.* Et m'apparaît que l'existence n'est pas un segment comme on en a parfois la perception mentale, mais un cercle de dix ans de circonférence sur lequel on tourne comme un cheval de cirque, et tous les dix ans on passe par ce même point, le point de chagrin d'amour chez ses parents, mais après tout tant qu'il y a des oranges il y a de l'espoir.

Ma mère et ma sœur se lèvent pour aller dans la cuisine faire je ne sais quoi, c'est le moment, je dois profiter de la mince fenêtre de tir qui m'est offerte pour évacuer cette histoire de discours une bonne fois pour toutes. Mon père écoute Ludo lui exposer une théorie à propos de pesticides et de gène résistant, son regard est perdu parmi les tournesols qui ornent la nappe, il acquiesce machinalement en tapotant le manche de sa fourchette, et je sais que je peux interrompre en toute impunité cette discussion dont l'unique fonction est de nous faire patienter avant le retour de ma mère et de ma sœur. Je bois une gorgée de vin pour me donner du courage et me lance. *Ludo, au sujet du discours que je dois prononcer, tu sais, je me disais, je crois que je vais laisser ce soin à quelqu'un d'autre, je le sens pas, tu me connais, je suis pas très doué pour ce genre de choses, il vaut mieux que je laisse un autre proche faire ça.* Voilà, ce n'était pas si compliqué, je me sens délesté d'un fardeau, la vie m'apparaît large, dégagée et ouverte sur l'infini, je suis sur une route dans le désert du Nevada. *Allons Adrien, je suis sûr que tu vas nous faire quelque chose de merveilleux, c'est le plus beau cadeau que tu puisses faire à ta sœur.* Voilà ce qu'il me répond. Ma mère et ma sœur reviennent à table avec, l'une un gigot, l'autre un plat de gratin dauphinois, et le gigot et le gratin dauphinois sonnent le glas de toute négociation, ils marquent la fin du débat avec leur parfum de gigot et de gratin dauphinois et ma tentative est un double échec : non seulement je n'ai pas réussi à éviter le discours, mais j'apprends que l'on attend de moi *quelque chose de merveilleux.* On n'attend pas de moi que je m'acquitte d'une simple formalité, un acte anodin qui s'insérerait mollement entre le trou normand et la découpe de la pièce montée dans une succession éprouvée de minuscules rituels, non, je suis le garant officiel du plus beau cadeau de la soirée, le clou du spectacle, l'apothéose. J'étais parti pour annuler un simple discours et je me retrouve investi d'un geste messianique sur lequel reposent la qualité d'une cérémonie élaborée depuis des mois, la cohésion de deux familles entières, l'avenir affectif de ma sœur, peut-être même sa santé mentale. Sans moi, ce mariage va être un désastre. Si mon discours n'est pas merveilleux, je serai responsable de la lente descente aux enfers d'une centaine d'individus, un délitement humain progressif et irréversible. *C'est le plus beau cadeau que tu puisses faire à ta sœur.* Je lui en veux d'avoir usé d'un argument aussi vil, d'avoir bassement convoqué l'affect et les liens fraternels. Un chantage en bonne et due forme. Une lame aiguisée sous la pomme d'Adam n'aurait pas été plus explicite. Je hais cette autorité tranquille, cette inertie à laquelle rien ne résiste, qui inclut et digère la moindre ébauche de résistance. Je n'ai jamais vu d'ordre donné avec tant de mépris. Attends attends attends, je crois que tu n'as pas bien compris là, ton discours je ne vais pas le faire tu entends, je n'ai d'ordre à recevoir de personne, tu crois qu'elle passe beaucoup de temps, elle, à se demander quel est le plus beau cadeau qu'elle pourrait faire à son frère ? Tu les as lues mes encyclopédies, Ludovic ? Tu as lu *Les plus beaux sommets d'Europe* ? Tu as lu *Reptiles et batraciens* ? Tu as lu *Bébés du monde* ? Et je fixe, dépité, le gratin dauphinois, et je suis sûr qu'il existe, quelque part, chez un quelconque éditeur, une encyclopédie sur le gratin dauphinois.

Je vais faire une liste, la voilà la solution, voilà ce qui va me sauver. Les listes ont toujours été mes fidèles alliées, j'ai toujours dressé des listes, pour tout et n'importe quoi. Écrire un discours, littéralement, de A à Z, avec sa ponctuation, ses mots au cordeau, donnerait forcément lieu à un discours figé, une lecture ennuyeuse et monocorde, d'autant que je n'ai pas l'âme d'un grand tribun. Je vais noter quelques mots-clés autour desquels broder, des mots-clés marquant les temps forts de mon discours, enfance, temps qui passe, bonheur, vie à deux, vacances en famille, Pitou (l'épagneul de notre enfance, mort écrasé par une voiture), vacances à La Rochelle, avenir, vaisselle à faire (oui, mon discours sera ponctué de touches d'humour, ah ah que cet Adrien est drôle, vive Adrien, vive le discours d'Adrien). Voilà, une liste, je vais faire une liste.

Le jour de mon premier rendez-vous avec Sonia, j'étais si stressé que j'avais préparé une liste de thèmes de discussion. L'éventualité d'un blanc me tétanisait, un silence qui s'invite à un premier rendez-vous me semblait synonyme de débâcle, il signifiait ça ne colle pas, vous deux c'est pas possible, en réalité vous n'avez pas tant de points communs que ça. J'avais la sensation de passer un oral décisif. J'avais donc pris une feuille et commencé à noter des thèmes en vrac, me fondant sur des sujets qu'on avait abordés par messagerie, pour pouvoir les recaser l'air de rien, entre deux gorgées de bière, le plus naturellement du monde, comme un interlocuteur passionnant et passionné pour qui la repartie serait une seconde nature. J'avais noté essentiellement les questions à lui poser, espérant que de son côté elle en aurait à me poser en retour, de manière que les tâches soient partagées et que mon temps nécessaire d'intervention soit environ divisé de moitié. Je comptais aussi sur un effet de domino, un sujet pouvant en entraîner un autre, ainsi, de fil en aiguille, on tiendrait deux heures, deux heures et demie, facile.

Boulot — ça te plaît ? La Camargue — ça t'a plu ? Anecdote sur le pèlerinage des gitans aux Saintes-Maries-de-la-Mer — Tu es fan des Beatles ? Album favori ? Lennon ou McCartney ?

— Anecdote sœur de Mia Farrow / acide en Inde
— Dear Prudence — Annie Ernaux ? Titre —
Parler du bar (la bière) — Soirée dernière fois –
gens – tu la connais d'où Karine ? Caser conte petit
tailleur de pierre — Pourquoi du marqueur sur mon
paquet ?

J'avais révisé durant le trajet en voiture, man-
quant même griller un feu rouge, et avais glissé
la feuille pliée en deux dans ma poche, juste
avant d'arriver au rendez-vous. Si j'avais un
trou de mémoire, je pourrais toujours aller aux
toilettes relire mes antisèches. Elle était déjà
assise en terrasse lorsque j'arrivai, je m'étais
assis, et tout s'était enchaîné, nous nous étions
lancés dans une conversation à bâtons rompus,
de la manière la plus naturelle et la plus déten-
due qui soit, et mes mots coulaient sans même
que j'y prenne garde, comme un étudiant qui
découvre son sujet et qui, question après question, constate avec soulagement qu'il n'a fait
aucune impasse fatale, et cette histoire de liste
m'apparaissait subitement ridicule et d'une
immaturité risible, comment avais-je pu croire
une seule seconde que nous n'aurions rien à
nous dire ?

Nous sautions d'un sujet à l'autre sans souci
de transition, dans une boulimie de connais-
sances de l'autre, et tout semblait une évidence, et dès cet instant je sus que c'était elle,

36

cette pensée m'avait traversé, *c'est elle*, c'est elle qui quoi je ne savais pas trop, mais c'était elle. De lien en lien nous nous mîmes à parler littérature, elle ne tarissait pas de références que je devais absolument lire, ses petits incontournables, ses livres de chevet, tu dois lire *Le livre de l'intranquillité* de Pessoa, tu dois lire *L'homme sans qualités* de Musil, tu dois lire *Tendre est la nuit* de Fitzgerald, tu dois lire *Pleins de vie* de Fante, elle m'enveloppait de titres et de noms d'auteurs, pleine d'une exaltation communicative, des noms que j'essayais d'attraper au vol comme un enfant court après des bulles de savon, et sur l'instant rien ne me paraissait plus important que de découvrir, dévorer, faire mien tout ce dont elle parlait. Craignant d'oublier ses conseils dès le lendemain, j'avais fini par sortir le papier de ma poche et lui avais demandé de noter toutes les œuvres qu'elle venait d'énumérer. Mon enthousiasme et ma légère ébriété m'avaient fait oublier que j'étais en train de lui tendre mon antisèche. Je ne réalisai qu'au moment où elle la prit dans sa main. J'aurais voulu la lui arracher aussitôt pour la remettre dans ma poche mais j'aurais eu du mal à justifier un tel geste, de toute façon j'étais trop tétanisé pour faire quoi que ce soit. Elle continuait à me parler, à me citer des titres, des noms, des éditeurs, mais je ne l'écoutais plus, absorbé que j'étais par ce morceau de papier qu'elle agitait sans cesse, priant pour qu'elle ne déplie pas la feuille. Inévitablement, tout en continuant à parler, elle l'avait fait, elle l'avait dépliée, dans un réflexe naturel, parce qu'on a naturellement tendance à déplier une feuille pliée sans raison tangible. Elle avait regardé la liste, avait froncé les sourcils avec un sourire interrogatif, et je devinais dans ses yeux qu'elle était en train de comprendre ce qu'elle lisait, et j'essayais ce faisant de trouver une parade, mais mon esprit était bien trop paniqué pour avoir la moindre pertinence, la moindre réponse cohérente, c'était trop tard, et j'étais comme un noyé qui se voit suffoquer mais qui finit par admettre la situation, presque stoïque : bon ben voilà, en fait je me noie. J'avais tout gâché. Une fois de plus. Je me souviens d'avoir envisagé très sérieusement de me lever et de partir en courant. *Tu fais des listes de sujets de discussion avant un rendez-vous ?* Je songeai un instant à répondre non, un non enfantin, c'est pas moi, je sais pas ce que ça fait là. Ou bien *Oui, tu vas rire, je fais une collection de listes, de courses, de discussions, des trucs que je trouve par terre, dans la rue.* Mais fatigué d'avance par le combat à mener, j'avais abdiqué. *Oui, j'étais intimidé, je craignais d'être si troublé que je n'aurais pas pu articuler un mot, je suis désolé, c'est complètement*

38

immature, je sais… Elle m'avait fixé, avait souri, et j'avais cru ou voulu lire dans ce sourire une infinie tendresse. Puis elle avait éclaté d'un rire franc et s'était penchée sur la feuille avec une application de collégienne, *Alors, les titres… Je te préviens, j'ai pas une super écriture, j'espère que tu arriveras à déchiffrer…* Elle avait écrit en silence, m'avait tendu la feuille, avait attrapé son verre de bière, avait bu une gorgée en me fixant de manière très intense, puis avait dit d'un air mutin *Bon tu me le racontes ce conte du petit tailleur de pierre ?* Tout était simple au début avec Sonia. Tout est toujours simple au début.

Les avantages du chauffage au sol, est-ce qu'il n'y a pas d'autres sujets à aborder que ça ? Tu crois vraiment qu'on est obligés de parler des avantages du chauffage au sol, Sophie ? Avec tout ce qu'il se passe dans le monde, les attentats, les conflits, la menace nucléaire, alors que j'ai mis un point d'exclamation à la fin de *bisous* ? On frôle l'obscénité. Pourquoi me parler de ça à moi ? Qu'est-ce que je t'ai fait ? Tu irais parler de chauffage au sol aux sinistrés d'un cyclone en Haïti ? À des migrants bloqués à Calais ? Ça change quoi que le chauffage soit au sol, au plafond, au mur, derrière la mairie, à la cave, ça change quoi à la marche du monde ? Tu crois que si ton chauffage était, allez, restons bêtement conventionnels, au mur, derrière le canapé à côté de la commode, le sujet mériterait moins d'être abordé ? Et pourquoi cette discussion est-elle aussi longue ? Je ne soupçonnais pas qu'il puisse exister autant de mots dans la langue française qui soient associés au chauffage au sol. Ce que j'en pense ? Ludo me demande ce que j'en pense. Comme pour me faire participer, comme on passe le ballon au petit gros parce que le prof de sport nous y oblige, parce que l'important c'est le collectif, on est là pour apprendre le collectif les gars, ici on oublie l'individuel, l'important n'est pas de gagner, non, l'important c'est que chacun trouve sa place et se sente utile comme le colibri fait des allers-retours pour éteindre l'incendie, Adrien est comme vous et moi, il a droit au ballon, il n'en fera pas des prouesses mais ce soir il se couchera en se disant qu'on lui a passé le ballon, c'est pas rien ça les gars. Tu veux savoir ce que j'en pense ? J'en pense que je ne comprends pas, je ne comprends pas comment on peut lire un message à 17 h 56 et ne pas y répondre. Il y a quelque chose qui s'appelle la politesse, tu en as entendu parler, Sonia ? Le besoin de pause autorise-t-il à faire fi de toutes les règles de bienséance ? Est-on exempté de savoir-vivre dès lors qu'on se décrète en pause ? Le respect, Sonia, le respect, rien que ça, je ne mendie pas grand-chose de plus. À moins qu'elle n'ait un problème de chargeur, Sonia a toujours des problèmes de chargeur, elle passe son temps à chercher son chargeur comme d'autres cherchent leurs lunettes, tu as regardé dans le tiroir de la table de chevet, dans ton sac à main, sur le chauffage ? Le chauffage au sol, je ne sais pas Ludo, franchement, je ne sais pas ce que j'en pense, il y a probablement des enjeux économiques majeurs derrière le concept de chauffage au sol, mais je ne maîtrise pas assez le dossier pour me prononcer, il faudrait que j'étudie ça de plus près, que j'établisse des comparatifs, que je dresse un tableau Excel, qu'on me présente un PowerPoint détaillé, avantages inconvénients bilan carbone retombées financières impact sur les relations diplomatiques franco-chinoises, je ne peux pas te répondre à la légère Ludo, c'est un dossier trop sérieux pour l'expédier entre deux bouchées de gratin dauphinois, et en même temps, j'y pense, si elle a eu assez de batterie pour lire mon message, elle en avait assez pour répondre, ne serait-ce qu'un simple *Je te réponds plus tard*. Madame Nathalie, je suis sûr que derrière ce regard bleu glacial, sous cette poitrine opulente, il y a un cœur qui bat, laissez Sonia récupérer son portable dans la chambre, je vous en supplie, c'est une question de vie ou de mort, non on ne meurt pas des cervicales, je sais bien, je ne parlais pas d'elle, je parlais de moi, on peut mourir de chagrin d'amour, madame Nathalie, je vous assure. Pire : on peut se retrouver sur un canapé avec ses parents à regarder un gendarme courir derrière des filles nues. Croyez-moi.

Ah oui dis donc ça a l'air pas mal... Ludo semble satisfait de ma réponse. Au fond on ne nous demande pas grand-chose dans la vie. Deux trois réponses comme ça peuvent vous faire traverser l'existence sans trop de désagréments.

Ma mère annonce que son frère est atteint d'un cancer du poumon, comme ça, entre deux bouchées de gratin, comme pour minimiser l'effet de sa phrase, ne pas nous bousculer. Elle ne dit pas *cancer du poumon*, elle dit *Il est très malade, le poumon*, elle ne prononce pas le mot. *Avec tout ce qu'il fumait, heureusement que je n'ai pas des enfants qui fument sinon je me ferais un sang d'encre.* Elle ne sait pas que je fume, je le leur ai toujours caché. D'ailleurs je vais avoir beaucoup de mal à tenir tout ce repas sans une cigarette, ce n'est pas la bonne période pour diminuer ma consommation. Je prétexterais bien quelque chose à aller chercher dans ma voiture, mais j'ai peur que mes parents ne découvrent à mon haleine que je viens de fumer, même si j'ai toujours une boîte de Tic Tac dans la boîte à gants. J'ai quarante ans et j'achète des Tic Tac pour cacher à mes parents que je fume, voilà où on en est.

Ma sœur s'agite, pose mille questions : Ah bon ? Mais il le sait depuis quand ? À quel stade ? Il y a des métastases ? Et là mon portable vibre dans ma poche. C'est bien ça, je ne rêve pas : mon portable vient réellement de vibrer dans ma poche. Et c'est tout mon corps qui se met à vibrer, d'excitation, d'exaltation, de trac, d'émotion, comme sorti d'un long coma ou d'une cryogénie à travers les siècles. Je ne peux décemment pas sortir mon portable, là, en plein milieu d'une discussion sur le cancer du poumon du frère de ma mère, entre deux possibles métastases. Sonia m'attend au fond de ma poche et moi je dois compatir à la douleur de ma mère. *Deux paquets de gauloises sans filtre depuis quarante ans, il fallait s'y attendre, tu imagines les dégâts que ça peut causer.* Oui maman, j'imagine bien, tout ça est infiniment triste, c'est tragique, mais tu vois, là, Sonia vient de m'écrire et je ne suis pas sûr d'être en mesure d'être aussi triste qu'il le faudrait, tu sais quoi maman, tu devrais l'appeler pour lui conseiller de boire du jus d'orange et tout ça ne serait plus qu'un mauvais souvenir. *C'est fou comme ça me touche que ce soit Pierre, j'ai une tendresse particulière pour lui, je n'oublierai jamais la fois où il m'a veillée pendant ma rougeole.* Non maman, pas là, pas l'histoire de la rougeole alors que Sonia attend ma réponse, pas l'anecdote où il t'a veillée tout de rouge vêtu, chaque fois que tu racontes cette histoire j'ai l'impression que tu la racontes en temps réel tant elle s'étire en longueur, alors avec le message de Sonia en attente, on va frôler l'éternité. Mais elle est aussitôt coupée par Ludo, *Saleté de crabe, c'est comme ma mère...* Non, pas toi Ludo, pas ta mère, pitié, tu ne vas pas t'y mettre, pas maintenant, c'est un complot, vous n'allez pas énumérer toutes les victimes du cancer que vous connaissez, on en parlera dans un quart d'heure, dans un quart d'heure je serai tour à tour éploré, attentionné, bienveillant, bouleversé, philosophe, je prononcerai des sentences telles que Elle vit encore dans ton cœur et c'est l'essentiel, ou bien Tu sais, ce qui est important c'est tout l'amour que tu lui as donné, j'en ai plein en stock des phrases comme ça, mais s'il te plaît, Ludo, laisse-moi consulter ma messagerie, ensuite on parlera du cancer de qui tu veux, toute la nuit si tu veux, d'Alzheimer, de Parkinson, de la maladie de Lyme, c'est promis. Comment va-t-elle interpréter le fait que je ne lise pas son message dans l'instant? Je ne suis pas en position de jouer l'indifférence, de maintenir une forme de suspense artificiel, je suis ouvertement à genoux, je suis soumis volontaire. Me traverse l'idée de sortir mon portable sous un prétexte qui se voudrait à propos, Tiens au fait combien y a-t-il de décès par cancer du sein chaque année ? Allons voir ça sur Google… Mais très vite ma sœur nous sort de cette conversation d'un salvateur *Ah là là c'est la vie, qui reveut du gratin ?* et j'ai comme le sentiment qu'autant elle était prête à passer la soirée sur le cancer de notre oncle Pierre, autant celui de feu sa belle-mère l'irrite, je ne sais pas pourquoi, et je n'ose y voir une forme de jalousie, ce serait trop glauque, et puis à vrai dire je m'en contrefous, ici et maintenant rien d'autre au monde n'a d'importance que cette vibration dans ma poche, on est peu de chose. Je sors le portable. Sonia, ma Sonia adorée, ça va aller, je te le promets, tout va recommencer comme avant.

C pas a toi que j ai prete mon vinyle de sticky fingers ?

Sébastien. La terre s'écroule. Pourquoi tu m'écris, Sébastien ? Pourquoi tu m'écris là ? Surtout pour me dire ça. Non ce n'est pas à moi que tu as prêté ton putain de vinyle de *Sticky Fingers*, Sébastien, je n'ai même pas de platine vinyle, pourquoi m'aurais-tu prêté un vinyle de *Sticky Fingers* ? Quand bien même j'aurais une platine vinyle, je déteste les Stones. Et là sur le moment j'ai envie de mourir, d'un cancer du poumon, du sein, de l'estomac, du pancréas, des testicules tiens, il paraît que les cancers des testicules sont en recrudescence exponentielle depuis que les hommes se baladent avec leur portable dans la poche. Voilà, mourir par ce qui me ronge, périr par ce qui me consume, va jusqu'au bout, instrument du diable, achève-moi, ne t'arrête pas en si bon chemin. À quoi ressemblaient les ruptures avant le portable ? À quoi ressemblaient les chagrins d'amour filaires à cadran circulaire ? On attendait, des heures, près du téléphone, à espérer que Lucille nous rappelle, on creusait des tranchées dans le salon à force de l'arpenter de long en large, on vérifiait vingt fois de suite que le combiné était bien raccroché, car ça ne pouvait être qu'un incident technique, il n'était pas envisageable que Lucille n'appelle pas, et on finissait à genoux face au téléphone comme devant une idole, mains jointes, priant pour que Lucille réalise qu'elle ne pouvait pas se passer de nous et qu'il n'y avait rien d'autre à faire de plus important ce samedi soir que d'aller au cinéma voir *Le cercle des poètes disparus* avec nous, vas-y sonne je t'en supplie, sonne putain, je ferai tout ce que tu veux si tu sonnes ! Et me revient en mémoire cet élève, au lycée, Vincent, un type un peu patibulaire, toujours en retrait dans la cour, avec sa grande gabardine beige et ses dents gâtées, qui s'était pendu à la suite d'un chagrin d'amour. Avant le cancer des testicules, à l'époque du téléphone filaire, on se pendait. Tout ça est finalement très cohérent, la vie est bien faite, la mort aussi.

Je prononcerai ce discours à une condition, Ludo, une seule : que tu arrêtes de faire grincer ta fourchette dans ton assiette. Je pourrais tuer pour ça, je pourrais tuer quelqu'un qui fait grincer sa fourchette. Non, Ludo, ce n'est pas la fourchette qu'on tire, la fourchette n'a pas à être déplacée, son rôle est simplement d'être plantée dans le morceau de viande, c'est sa raison d'être, c'est le couteau qui effectue le mouvement, c'est lui qui coupe, la fourchette ne sert qu'à immobiliser le morceau de gigot pour permettre au couteau de couper sans que la tranche de gigot ne glisse sur l'assiette, on n'a pas besoin d'écrire des articles scientifiques pour comprendre ça. Il y a des codes, Ludo, sinon c'est le bordel. Sept milliards de névrosés, de toqués, d'inadaptés, essayant de vivre ensemble, se faisant croire que c'est possible, qu'ils sont des êtres sociaux, qu'on ne

50

tue pas pour un grincement de fourchette dans l'assiette, qu'on ne quitte pas son amoureux parce qu'il fait du bruit en buvant son café. Un jour tu te réveilles, Sonia, et tu ne supportes plus ça, le bruit que fait l'autre en buvant son café, tu ne supportes plus son éternel t-shirt, toujours le même, celui qui t'émouvait tant, le matin tu ouvres la fenêtre de la chambre parce que l'odeur de l'autre t'indispose, tu dis *J'ouvre il fait un peu chaud*, alors qu'on est en novembre et qu'il fait moins trois dehors, un jour un message de ton amie Laure à propos d'une vidéo de chat qui rate un canapé t'intéresse plus que l'homme que tu as en face de toi. La pause était déjà écrite dans tous ces petits signes que je n'ai pas su voir.

Je suis en train de manger du gigot et du gratin dauphinois alors que le fruit de mon tourment est ailleurs et qu'une fourchette menace à tout moment de grincer dans l'assiette et la discussion ne porte même pas sur l'amour, ou la poésie, ou le sens de la vie, non, on parle de chauffage au sol, de vacances en Sardaigne, de Jean-François, le fils du voisin, qui a fait construire, tu entends ça Adrien, il a fait CONSTRUIRE. Pour ma mère, le monde se divise en trois catégories : ceux qui ont un cancer, ceux qui font construire et ceux qui n'ont pas d'actualité particulière. Entre ces deux stades, la construction et le cancer, pas grand-chose, une espèce de flottement, une paren-thèse, un grand vide existentiel. Et chaque fois qu'elle cite quelqu'un qui a fait construire, c'est une façon de me dire de manière détour-née : Toi Adrien tu n'as pas fait construire, tu es en location, qu'est-ce qu'on a raté avec toi, Adrien ? À quel moment tout ça a mal tourné ? Et là tu vois Sonia, je suis pris d'une irrésistible envie de me lever, de quitter la table et de te rejoindre. Pourquoi attendre un message alors qu'il serait si simple que je te retrouve, que je débarque chez toi sans prévenir ? Comment accueillerais-tu cet élan ? Un aveu de faiblesse, une intrusion, une agression, un geste pathé-tique, héroïque, touchant, pitoyable ? Je pars, je dois partir, ne me demandez pas pourquoi, j'ai un truc à régler, j'aurais adoré savoir quel arti-san chauffagiste a choisi Jean-François pour sa chaudière, j'aurais adoré savoir si le bateau qui va vous emmener en Sardaigne est pourvu d'une piscine à bulles et d'un bar à mojitos, mais là vraiment, je ne peux pas rester, je suis désolé, c'est une urgence. Sauter dans ma voi-ture, démarrer en trombe, l'image passe en seize neuvièmes, gros grain noir et blanc des premiers Jarmusch, ma vitre est ouverte, je fume une cigarette, les cheveux au vent et la musique à fond que je couvre de mon chant approximatif en yaourt. Se gonfler de romanesque, tu te souviens Sonia, mettre de la vie dans la vie, insuffler du romantisme dans tout, tu te souviens de cette scène d'*Un monde sans pitié*, la tour Eiffel qui s'éteint au claquement de doigts ? Tu aimais ça chez moi, ce romantisme échevelé, tu as fini par le détester, comme mon t-shirt, comme mon odeur. Tu dois lire *Le livre de l'intranquillité* de Pessoa, tu dois lire *L'homme sans qualités* de Musil, tu dois lire *Tendre est la nuit* de Fitzgerald, tu dois lire *Pleins de vie* de Fante, attends tu peux faire moins de bruit en buvant ton café s'il te plaît ?

Je ne me lève pas, je ne chante pas en yaourt les cheveux au vent, l'image ne passe pas en seize neuvièmes, parce que je suis lâche, parce que Ludo a terminé son morceau de viande et parce que je ne veux pas lire dans tes yeux que quelque chose s'est détruit, je préfère y croire encore un peu en écoutant la liste des gens qui ont fait construire.

Bonsoir à tous... J'étais censé vous faire un petit discours mais je ne sais vraiment pas quoi vous dire, je ne sais pas pourquoi Ludo m'a demandé ça à moi... Alors plutôt que de me lancer dans une tentative vouée à l'échec, je vais vous raconter un conte, l'histoire du petit tailleur de pierre... Voilà, il était une fois un petit tailleur de pierre qui se plaignait en permanence de sa condition miséreuse, du matin au soir il répétait qu'il en avait assez et qu'il rêvait d'être à la place du roi... Un jour il croise la route d'un sage qui lui dit : D'accord, admettons que tu es le roi. Mais un jour le roi, à force de se pavaner au soleil, attrape une insolation et tombe gravement malade. Tu préfères être le roi ou le soleil ? Alors le tailleur de pierre lui répond Le soleil. — Donc tu es le soleil. Mais un jour le soleil est masqué par un gros nuage et on ne le voit plus jamais. Tu préfères être le soleil ou le nuage ? — Le nuage. — Bien, tu es le nuage. Mais un jour le nuage passe derrière une énorme montagne, et il disparaît à jamais. Tu préfères être le nuage ou la montagne ? — La montagne. — Alors tu es la montagne. Mais la montagne, heure après heure, jour après jour, année après année, se fait grignoter par le petit tailleur de pierre...

Alors oui, je sais, mon histoire n'a rien à voir avec les mariés, elle m'est simplement revenue comme me revient ces derniers temps tout ce qui est lié à Sonia. Et peut-être, mes chers amis, faut-il y voir une morale qui serait : plutôt que de se rêver à la place du roi, sachons apprécier le bonheur quand il est là, sous nos yeux, et qu'on ne voit pas toujours... C'est d'autant plus injuste que je le voyais, moi, j'en étais conscient du bonheur d'avoir Sonia à mes côtés tous les matins, je n'avais pas besoin d'une pause pour le réaliser, vous comprenez ? Je ne méritais pas ça, pas moi. Qu'est-ce que j'ai fait pour la faire partir ? C'est pas possible, bon sang, on ne quitte pas les gens comme ça ! Elle le voit dans quel état je suis ? Je dois faire quoi pour la faire revenir ? Vous avez une solution vous ?! Si vous en avez une, je vous en supplie, dites-le-moi. Je vous souhaite une bonne soirée.

Depuis trente-huit jours, je soupçonne la pause d'avoir un prénom, je la soupçonne de s'appeler Romain. C'était il y a quelques mois, nous nous étions retrouvés dans une soirée d'anniversaire et il y avait ce type, ce grand brun un peu ombrageux. Il avait attrapé une guitare qui traînait dans le salon, comme ça, nonchalamment, s'était accroupi dans un coin et avait commencé à égrener quelques arpèges mélancoliques, des accords mineurs, de ceux qui pénètrent le cœur sans sommation, on n'a pas le droit d'enchaîner un *la* mineur et un *ré* mineur dans une soirée où les filles sont accompagnées de leur conjoint, c'est formellement interdit par les accords de Genève, on ne peut pas. Peu à peu, un petit groupe s'était agglutiné autour de lui et il était évident que ce type aurait pu attraper n'importe quoi dans le salon, un piano, une harpe, un djembé, il aurait pu jongler avec des oranges ou passer la barre des sept mètres au saut à la perche si une perche s'était trouvée dans un coin de la pièce avec la même nonchalance, la même absence lointaine qui dit Ne vous occupez pas de moi, je ne suis pas qu'un beau brun ténébreux, je porte en moi une douleur ancienne, le poids d'une blessure familiale et des cicatrices au cœur que j'essaie à ma modeste manière d'évacuer par le biais de l'art et de la poésie, mais je ne veux pas vous embêter avec ça, faites comme si je n'étais pas là, resservez-vous des blinis aux œufs de lump. Toi aussi Sonia tu étais happée, et dans un masochisme irrépressible, je ne pouvais me détacher de ton regard planté sur lui, ton regard qui gagnait en intensité, et j'assistais à sa mutation, de plus en plus pénétrant, pénétré, rêveur, insistant, subjugué, et on était vraiment à ça d'un syndrome de Stendhal. Plus tard, près du buffet, alors qu'il venait de dire à son voisin qu'il était musicien, que c'était son métier, tu lui avais posé cette question, cette question que je n'oublierai jamais et qui résonne encore en moi comme le bruit fossile de notre Big Crunch intime. *Vous faites des interventions en milieu scolaire ?* Cette question ne te ressemblait pas, cette façon directe d'aborder les gens sans préambule ne te ressemblait pas, il y avait une urgence dans ta façon de lui demander ça, une forme d'impulsion, d'absolue nécessité. Cette question avait jailli de toi et, à cet instant précis, j'avais compris que plus rien ne serait jamais comme avant. Les semaines suivantes, tout s'était enchaîné très vite, il était venu faire des interventions dans ta classe, une fois par semaine, et peu à peu ce prénom, Romain, s'était invité le soir pendant qu'on prenait l'apéritif, ce moment privilégié et habituellement apaisé des bilans de journée. Les enfants adorent Romain, Romain leur a fait chanter une chanson de Renaud, *Ballade nord-irlandaise* je crois, on est allés boire un café après les cours avec Romain, Romain m'a prêté un album de Nick Drake, tu me fais passer le Romain s'il te plaît ? Progressivement, pauvre petit Gaulois impuissant, je me suis senti annexé, envahi, éradiqué par ce Romain, je déposais les armes à ses pieds, abandonnais la bataille, et chaque fois que tu prononçais ce prénom, c'était comme un petit coup de glaive dans le ventre que tu m'infligeais. Mais je n'étais pas au bout de mes peines : un jour, tu n'as plus prononcé Romain, et ce fut pire que tout. Tes silences pensifs sont devenus insupportables, ils hurlaient du Romain, ils puaient le Romain à plein nez, qui plus est du Romain interdit, ambigu, puisque tu ne te donnais plus le droit de le prononcer. Mais il était là, entre nous, dans le lit, avec sa

58

guitare, ses *la* mineur et sa douleur ancienne. Et puis, à force de phrases sans Romain, j'ai fini par l'oublier. Jusqu'à la pause. Dis-moi que tu n'es pas avec Romain, dis-moi que tu n'es partie pour personne, juste contre moi, parle-moi de lassitude, de ma médiocrité, de l'usure du couple, de temps de réflexion, de mon t-shirt usé jusqu'à la corde, c'est tout ce que je veux entendre. Et là je t'imagine poser tes mains sur le torse glabre et ambré de Romain et je suis pris d'une envie de vomir. J'irai vomir et ma mère me dira *Tiens, bois du jus d'orange.*

Je dois me calmer, relativiser, voir le côté positif : au fond, ce discours est une aubaine. C'est l'occasion idéale de remettre les pendules à l'heure. Casser cette image d'introverti de service, exhiber enfin à la face du monde le trublion qui se cache derrière la carapace atone. Dans la famille, j'avais toujours été celui dont on ébouriffe les cheveux en déclarant, une lueur un peu triste dans le regard, *Aaah lui il est dans son monde, c'est un poète*, avec tout ce que ce terme, *poète*, charrie dans l'inconscient de la classe populaire : muet, morne, patibulaire, dénué de toute fantaisie. Pendant longtemps, j'avais attribué ma timidité à mon âge, comme un stade naturel de la puberté, une simple phase passagère, et il m'apparaissait évident qu'elle se dissiperait une fois devenu adulte au même titre que l'acné et les envies de traverser le Pérou en sac à dos – ou d'apporter des stylos au Bénin. Vers trente ans, j'avais dû me rendre à l'évidence : ma puberté était passée sans que disparaisse mon inadaptation au monde. Il était donc manifeste que j'allais être à vie celui dont on ébouriffe les cheveux, fût-ce virtuellement. Jusqu'au discours. Car après le discours, de la chrysalide de poète morne et ennuyeux allait jaillir un être sociable et fascinant. Après le discours, les gens allaient me découvrir réellement, et l'on entendrait se chuchoter dans l'assistance *Ça alors je ne savais pas qu'il était comme ça*, et j'irais de groupe en groupe, voletant comme une huppe, gratifiant chacun d'une anecdote personnalisée, tour à tour espiègle, taquin, charmeur, gentiment grivois, je serrerais des mains, des tapes dans le dos seraient données, des clins d'œil échangés, des verres levés en direction de l'autre bout de la salle pour ceux qui n'auraient pas eu le privilège de manger à côté de moi, vive Adrien, vive le discours d'Adrien.

Mais non. Bien sûr que non.

Ce discours va être une catastrophe dont on parlera encore dans vingt ans, trente ans, il va traverser les générations, il deviendra une légende urbaine que les grands-parents raconteront le soir pour faire gentiment peur à leurs petits-enfants. *Et là les enfants, devinez ce qu'Adrien raconta comme anecdote... — Papi j'ai peur...* On n'aura jamais vu dans l'histoire mondiale des discours de mariage un discours aussi peu inspiré, et chaque touche d'humour sera suivie d'un long silence embarrassé, et l'assemblée glissera progressivement d'un brouhaha joyeux à une gêne palpable, et l'énergie festive que Sophie et Ludo avaient mis des heures à faire monter à grand renfort d'apéritifs, de surprises, de musique légère et de calculs chirurgicaux de plans de table (Mais enfin Ludo, tu ne peux pas mettre Tata Lucette à côté d'Henri, ça n'est pas possible. — Tu as raison ma chérie, je ne sais pas ce qui m'a pris de proposer ça, je suis un peu surmené en ce moment, excuse-moi, je t'aime. — Moi aussi je t'aime mon amour), tout ça, tous ces efforts seront réduits à néant en moins de trois phrases. Certains dans la salle commenceront à transpirer, d'autres se mettront à toussoter, d'autres encore feront mine de manger alors même que leur assiette ne sera garnie que de gras de jambon, des regards seront échangés, des murmures, qui est-ce au juste ? Je crois que c'est le frère de la mariée, mais pourquoi fait-il ça ? C'est un canular ? Tu crois qu'il a bu ? Ça c'est la drogue, regarde ces yeux perdus, son front moite, regarde ses mains qui tremblent, c'est typique d'un

62

état d'emprise, et son élocution, c'est normal qu'on ne comprenne rien ? Vous êtes sûr que le micro est branché ? C'était un garçon si gentil, qu'est-ce qui lui est arrivé ? Il paraît qu'il loue… Comment ça ?… Je me suis laissé dire qu'il n'avait pas fait construire… Jésus Marie Joseph… Et on verra çà et là des invités enfiler leur manteau pour rentrer chez eux. Et Sophie essayer de les retenir en leur promettant une surprise de fin de soirée, mais la surprise aura fuité et personne n'aura réellement envie de rester pour voir un sosie d'Herbert Léonard chanter en play-back. Dans un dernier réflexe de survie, comme le capitaine tente le tout pour le tout pour éviter l'iceberg, Ludo demandera au DJ de la soirée de lancer *Vive le Douanier Rousseau* de la Compagnie créole, mais comme tout morceau exagérément festif dans un contexte morose, il ne fera que susciter une infinie mélancolie, et le regard des gens se teintera d'un voile opaque et lointain et des images de leur enfance leur apparaîtront soudain. Les dimanches matin d'automne, ils allaient jouer dans le jardin avec leur petite sœur, au chevalier et à la princesse, le sapin c'était le château, et le fumet du repas que leur mère était en train de préparer, de la daube de bœuf, passait à travers la fenêtre et venait les envelopper en même temps qu'une douce fraîcheur et tout ça est bel et bien terminé, la vie avance et rien ne peut arrêter l'inéluctable, alors les invités regarderont leurs enfants en train de courir autour de la table et ils se mettront à pleurer.

En fait, la seule solution pour que je ne prononce jamais ce discours serait que la cérémonie soit annulée. Et, naïvement, à cette idée, je me surprends à entrevoir une éclaircie, comme s'il existait la moindre chance que cette cérémonie n'ait pas lieu. Qu'est-ce qui peut entraîner l'annulation d'un mariage ? Le décès d'un des futurs époux, voire des deux, dans un accident de voiture en rentrant de Chauf'Center alors qu'ils étaient allés demander un devis pour le chauffage au sol, d'accord, mais à part ça ? La découverte, quinze jours avant la cérémonie, d'un adultère. Je ne vois que ça. Est-ce que Ludo a déjà trompé ma sœur ? J'en doute. Je me demande même s'il s'est aperçu qu'autour de nous, dans la rue, les magasins, le métro, évoluent d'autres femmes qui ne sont pas ma sœur. Même chose pour elle, je ne pense pas que le concept d'adultère soit dans son esprit autre chose qu'un moteur narratif de romans ou de pièces de boulevard. Régulièrement au cours du repas, il pose sa main sur la sienne, comme ça, sans raison particulière, parfois sans même la regarder, tout en continuant à discuter avec mon père, juste pour s'assurer qu'elle est là, qu'elle existe, qu'elle sera là jusqu'au bout, qu'elle n'est pas avec un Romain à la douleur ancienne. Et cette main posée se transforme parfois en caresse délicate, à peine effleurée, une caresse qui dit *Nous sommes tellement heureux*, une caresse qui dit *J'aimerais que cet instant dure toute la vie*, qui dit *La vie est un horizon ouvert sur l'infini*, qui dit *Tu sais quoi mon amour, demain nous irons manger du rouget grillé en bord de mer avant d'aller marcher sur la plage en nous tenant par la taille et en parlant de chauffage au sol*, une caresse qui dit *Ton frère est si seul, mon Dieu comme il est seul, ne trouves-tu pas que depuis 17 h 56 il est plus seul encore ?*

Dans les repas de famille, par ma faute, nous avons toujours été un nombre impair à table. Je suis celui qui ne vient pas par deux, je ne suis qu'une moitié d'entité. Quand j'arrive, on jette un coup d'œil furtif par-dessus mon épaule pour vérifier qu'il n'en manque pas un morceau. Voilà : j'ai toujours été un impair. À cause de moi, on a du mal à couper le gâteau en succession de diamètres, il faut se creuser la tête, élaborer de savants calculs collectifs, mais après maintes interventions où chacun donne sa solution mathématique du partage, on en revient toujours aux diamètres, et reste toujours cette part dans l'assiette que personne ne veut, non pas par une sorte de code de politesse, mais parce qu'elle transpire une solitude dont on craint qu'elle ne soit contagieuse. Jamais je n'ai présenté la moindre de mes petites amies à mes parents, au point de susciter régulièrement leur inquiétude. Du moins celle de ma mère, mon père, lui, se drape dans une forme d'autosuggestion faite de clins d'œil complices qui signifient en substance Hé hé, t'inquiète, je l'ai compris ton petit manège, je me doute bien qu'il doit y en avoir un tas de fiancées, va, petit tombeur. Et je ne démens pas son clin d'œil parce que je suis entré dans la seconde partie de ma vie où l'on ménage ses parents après qu'ils nous ont ménagés. De temps à autre, pour les rassurer, je lâche un prénom au milieu d'une conversation anodine, sous un prétexte des plus futiles, Mince, j'ai oublié de dire à Cécile de relever le courrier ou Mmh, pistache, le parfum préféré de Nathalie, et la simple évocation d'un prénom suffit à illuminer le visage de ma mère. Chaque fois que je sens poindre son inquiétude, je n'ai qu'à lâcher un prénom et tout redevient harmonieux et serein et léger. On devrait se contenter de vivre avec des prénoms, tout serait beaucoup plus simple. Et à chaque prénom, elle me demande Quand estce que tu nous la présentes celle-là ? Et je trouve toujours une excuse, et avec le temps, mes excuses deviennent de moins en moins élaborées, de plus en plus bâclées et approximatives. Je ne dis pas : En réalité vous ne verrez jamais la moindre de mes petites amies parce que je suis multiple et névrosé, l'Adrien amoureux n'a rien à voir avec l'Adrien fils, il n'a pas la même voix, les mêmes intonations, n'aborde pas les mêmes sujets, et faire se rencontrer les deux Adrien aboutirait à une réaction qui pourrait mettre en péril l'équilibre du cosmos tout entier. Tu as déjà entendu parler de la réaction nucléaire entre la matière et l'antimatière, maman ? Voilà : si l'Adrien et l'anti-Adrien se croisaient, ils s'annihileraient, ils disparaîtraient, tout simplement, et la collision donnerait lieu à un formidable dégagement d'énergie qui enflammerait aussitôt la cuisine et absolument rien ne pourrait être sauvé, pas même la bite en contreplaqué sur le mur de la cuisine, car, oui, maman, je suis désolé de te l'apprendre, sois forte : il s'agit d'une bite. D'imaginer une seule seconde

Sonia à ce repas, ici et maintenant, j'en ai la chair de poule. Vous devez lire *Le livre de l'intranquillité* de Pessoa. — Vous aimez les poivrons Sonia ? Vous devez lire *L'homme sans qualités* de Musil. — Et chez vous Sonia, il y a le chauffage au sol ? Vous devez lire *Tendre est la nuit* de Fitzgerald. — Ne trouvez-vous pas bizarre qu'Adrien ne pose pas sa main sur la vôtre pour vous signifier qu'il aimerait que cet instant dure toute la vie ? Vous devez lire *Pleins de vie* de Fante. — Alors dites-moi Sonia, avez-vous fait construire ? Et il y aurait tellement de niveaux de langage dans un même repas qu'il nous faudrait des oreillettes de traduction comme au Parlement européen.

Si, maintenant que j'y pense, j'ai déjà emmené une fille chez mes parents, une seule fois. J'étais en terminale, elle s'appelait Cathy. Pourquoi elle ? Aucune idée. Il me semble, avec le recul, de manière assez pragmatique, que je la trouvais tout simplement très bien élevée. De fait, je ne m'y étais pas trompé, mes parents étaient immédiatement tombés sous le charme de cette jolie fille polie, souriante, à la repartie délicate, et s'étaient très vite attachés à elle. À tel point que lorsque cette histoire s'est terminée (c'est elle qui m'a plaqué, il fallait qu'elle fasse un choix, le bac approchait et elle ne pouvait pas se permettre d'avoir une relation suivie, Tu comprends Adrien, je t'aime beaucoup mais je dois me concentrer sur mes études. Voilà, Sonia, le bac, ça c'est un alibi valable, ça c'est une justification de pause tout à fait acceptable, même si sur le moment j'avais roulé des heures en mobylette à travers la campagne en pleurant comme un gosse, mais au moins je savais pourquoi je pleurais, prends-en de la graine avec tes pauses sans alibi), lorsque cette histoire s'est terminée donc, je suis resté de longs mois à faire croire à mes parents que nous étions encore ensemble mais qu'elle avait trop de travail pour venir à la maison comme avant, ce qui n'était finalement qu'un demi-mensonge.

En novembre 1957, la Russie envoya Spoutnik 2 en orbite autour de la Terre avec, à son bord, la chienne Laïka, et le peuple russe se prit immédiatement d'une grande affection pour cet animal, c'était devenu un symbole, une héroïne nationale. Et ils suivaient son périple autour de la Terre au jour le jour comme on suivrait aujourd'hui une série télé, et ils vibraient avec elle, et ils priaient pour elle. À ceci près que Laïka n'a jamais été en orbite autour de la Terre, elle n'a jamais vécu ce que les médias de l'époque rapportaient, tout n'était que mise en scène, en réalité elle est morte à peine sept heures après le décollage de la fusée. Mais le gouvernement soviétique a très bien compris que les Russes se raccrochaient à cette histoire comme à un beau symbole, que Laïka les aidait à vivre, les faisait rêver. Alors le gouvernement a sciemment décidé de cacher sa mort au peuple, parce que celui-ci aurait été bien trop déprimé par la mort de Laïka. Voilà. Je n'avais fait qu'inventer une orbite inexistante pour protéger mes parents.

Je pourrais me dire que ce discours possède au moins un avantage : il va tellement me stresser et cristalliser à lui seul toute mon angoisse qu'il va détourner mon attention et occulter ce qui me tétanise habituellement dans une cérémonie de mariage, à savoir : tout. Tous les passages obligés vont me sembler bien dérisoires à côté du discours. Le jour où ma sœur a annoncé à table *Ludovic et moi avons décidé de nous marier*, l'intégralité de la cérémonie a aussitôt défilé devant mes yeux en un quart de seconde comme, paraît-il, lorsqu'on frôle la mort et qu'on visualise en accéléré le film de sa vie. Tout y est passé en une succession de flashs aveuglants. Surtout la chenille. La chenille à laquelle personne ne peut échapper. On a beau faire semblant de manger, de parler, d'être au téléphone, peine perdue, la chenille est impitoyable, elle n'épargne personne, elle ne s'embarrasse pas des ego, de la timidité, elle n'a que faire de tout ça, face à la chenille nous sommes tous à la même enseigne, nous sommes là pour nous amuser, nous avons l'obligation d'être heureux, véritable machine à broyer les orgueils, et on se retrouve subitement au milieu de gens et on ne sait pas trop quoi faire de ses pieds, on tente de leur imprimer une sorte de mouvement un peu festif parce que si on marche, c'est pire que tout, marcher dans une chenille c'est être un dissident, c'est affirmer haut et fort Je ne suis pas comme vous, je vous emmerde, j'ai trop de problèmes dans ma vie pour faire la chenille, j'ai lu *Le livre de l'intranquillité* de Pessoa, vous imaginez quelqu'un qui a lu *Le livre de l'intranquillité* de Pessoa faire la chenille ? Et une grand-tante un peu ivre vous tient fermement par les épaules en vous faisant dandiner de gauche à droite et vous avez l'impression d'être sur une barque et ça n'en finit jamais, et elle chante la chanson à dix centimètres de votre oreille alors que vous-même devez poser vos mains sur les épaules d'un type que vous n'avez jamais vu de votre vie, l'oncle du marié, et sa chemise est trempée de sueur, et vous avez la sensation que vos doigts sont à même sa peau, il y a quelque chose de sexuel et de dégoûtant là-dedans et vous vous dites que, là, pile là, vous préféreriez avaler une demi-douzaine de limaces plutôt que d'avoir cette matière visqueuse sous vos doigts, et vous vous posez à cet instant précis des questions sur le sens de la vie, mais c'est trop tard, vous êtes déjà prisonnier, en voiture les voyageurs.

Je m'étonne que personne à Hollywood n'ait jamais songé à produire un blockbuster sur la chenille, l'histoire d'une immense chaîne de gens heureux et ivres qui se déploierait dans Manhattan, à travers les rues, et qui absorberait tout le monde pour enfler enfler enfler, enfler sans fin, et elle dévasterait tout sur son passage, et les gens auraient beau courir, hurler, se cacher sous des porches, au fond des ruelles, rien n'y ferait, la chenille les engloutirait et continuerait d'enfler enfler enfler, mais heureusement Bruce Willis arriverait, réglerait ça, peu importe comment, et une fois de plus l'Amérique aurait sauvé le monde. Mais je n'ai pas, moi, besoin de Bruce Willis, tout ça n'a plus la moindre importance, je n'ai plus peur de la chenille, la chenille n'est rien comparée au discours, elle m'apparaîtrait presque comme une partie de plaisir sans enjeu et la peau transpirante de l'oncle du marié comme un sommet de sensualité torride.

Et, alors que Ludo est en train de me parler du permafrost, une évidence me saute aux yeux : il n'y a aucune question ouverte dans mon message. *Coucou Sonia, j'espère que tu vas bien, bisous !* Que répondre à ça ? Il n'y a rien à répondre puisque je ne demande rien, je me contente d'espérer, voilà, j'espère qu'elle va bien mais je ne le lui demande pas explicitement. *J'espère.* Le verbe le plus fermé qui soit, j'espère dans mon coin, une prière silencieuse uniquement tournée vers elle-même qui dit Je n'ai besoin de rien d'autre, seulement espérer, laisse-moi espérer tranquillement s'il te plaît. Voilà pourquoi elle ne me répond pas. Qu'a-t-elle dû penser en lisant ça ? Adrien m'envoie un message sans question ouverte, il n'attend rien en retour, j'aurais tellement aimé qu'on parle de nous, de la pause, de tout ce qui me travaille, j'ai beaucoup réfléchi depuis quelque temps, peut-être que tout n'est pas aussi simple, mon Adrien, mon tendre Adrien. Et le permafrost est en train de fondre à cause du réchauffement climatique et tu n'imagines même pas les conséquences dramatiques que ça risque d'entraîner, Adrien, me dit Ludo, comme si nous allions tous mourir à la fin du repas. En fondant, le permafrost va libérer des virus enfermés dans la glace depuis des milliers d'années, on appelle ça des virus zombies, parce qu'ils se réveillent d'une longue hibernation, et, contre ces virus qu'on ne maîtrise pas, on ne sera pas armés, Adrien, et ça pourrait bien entraîner la pire pandémie que l'humanité ait jamais connue, car sais-tu, Adrien, que l'anthrax est une bactérie naturellement présente dans le sol, et qu'elle est réapparue dans une région de la Sibérie à la suite du dégel du permafrost ? Ludo, voilà quelqu'un qui a le don naturel de poser des questions, il interpelle l'attention de l'autre, l'inclut et l'oblige à un retour, voilà ce qui a manqué à mon message et je me trompe depuis le début : le problème n'est pas qu'il y ait un point d'exclamation mais qu'il n'y ait pas de point d'interrogation. Et je me demande s'il existe un amour zombie, un amour qui se réveillerait d'une hibernation de trente-huit jours à la suite du dégel du permafrost, aussi vif et virulent qu'avant sa congélation, et qui renaîtrait comme si de rien n'était, comme s'il n'avait jamais été anéanti par un Romain à la douleur ancienne.

Il faut que je lui envoie une question, je dois le faire tout de suite. Je me lève et dis *Je vais aux toilettes* et je ne sais pas comment Ludo peut interpréter le fait que j'aille subitement aux toilettes juste après un exposé détaillé sur le permafrost et les virus zombies, mais à cet instant précis je m'en moque, il s'agit d'une situation d'urgence, j'ai un point d'interrogation à aller chercher. Je ne peux m'empêcher de jeter un œil à la bite en traversant la cuisine. J'entre dans les toilettes, ferme à clé, m'assois sur le couvercle de la cuvette rabattu et reste là, mon portable entre les mains, à chercher un message qui se terminerait par un point d'interrogation, et je crois qu'à cet instant précis *Le gendarme de Saint-Tropez* à trente ans est détrôné sur l'échelle de Richter de l'absurdité de l'existence. Je lève les yeux de mon portable et tombe sur un petit cadre accroché au mur, à hauteur de mon visage, je n'ai pas le souvenir de l'avoir déjà vu, un petit cadre dans lequel est inscrite une citation à la typographie précieuse, *Si tu veux la lune, ne te cache pas durant la nuit. Si tu veux une rose, n'aie pas peur des épines. Si tu veux l'amour, ne cache pas ta vraie personne.* La citation est accompagnée d'une photo de dauphin qui bondit au-dessus de l'eau. Quel rapport peut-il bien y avoir entre une rose et un dauphin? Que vient faire un dauphin dans une citation sur l'amour, la lune ou la nuit? Qu'est-ce qui traverse l'esprit de quelqu'un qui, tombant sur un tel cadre dans un rayon de grande surface, se dit *Oh là là que c'est beau, il faut à tout prix que je mette ça dans mes toilettes*? Je me demande alors quelle citation je mettrais, moi, dans mes toilettes si toutefois j'y étais contraint un jour pour une raison que j'ai encore du mal à imaginer. Et je crois que Cioran serait tout indiqué: *Une seule chose importe, apprendre à être perdant.* Voilà ce que je mettrais aux toilettes, dans le salon, dans la cuisine à la place de la bite en contreplaqué, au fronton des mairies, sur chaque panneau de signalisation, sur les banderoles des manifs, au-dessus du tableau noir de chaque école primaire, accompagné d'une photo de dauphin échoué sur la plage, grouillant de mouches vertes. Je replonge dans mon portable mais je suis incapable de me concentrer, la citation du dauphin me parasite complètement, et ne me viennent que des métaphores puériles à base de roses, d'horizons dégagés et de larme qui roule sur la joue de la vie, et mon cerveau est un véritable cahier de textes de collégienne. Plus les minutes défilent et plus le stress me gagne et je les imagine à table, se demandant ce que je fabrique aux toilettes, et je n'ose même pas penser aux conclusions qu'ils en tirent. Quand je reviendrai, ma mère me proposera probablement un jus d'orange pour mes problèmes intestinaux. Mais peut-être s'en fichent-ils éperdument, après tout je ne suis pas un élément de repas indispensable. Peut-être ne se sont-ils même pas aperçus de mon absence. Je pourrais très bien rester là, assis sur la cuvette, une heure, deux heures, trois jours, deux mois, et personne ne s'en inquiéterait, aucun avis de recherche ne serait lancé, le monde continuerait de tourner sans moi et les années passeraient et les ères se succéderaient les unes aux autres, et un jour, dans des milliers d'années, lors d'un nouveau réchauffement climatique, après la fonte du permafrost, des scientifiques me découvriraient, mon portable à la main, toujours sans le moindre message, et ils s'écrieraient *Les gars, venez voir ! Un chagrin d'amour zombie, on n'est plus armés contre ça !*

Et puis soudain, alors que je divague, elle m'apparaît, une illumination, une épiphanie, la question, la question ultime, absolue, définitive. Une évidence.

Comment tu vas ?

Voilà. Tout est dit dans ces trois mots. Un de plus serait outrageusement superflu. Brefs, sobres, efficaces, ces trois mots contiennent tout, ils disent Je suis serein et posé, ils disent Ça n'a pas été facile tous les jours mais je me suis reconstruit et à présent c'est pour toi que je m'inquiète, Sonia, ils disent Je serai toujours là pour te protéger, quoi qu'il arrive, qu'importe l'occurrence d'un Romain à la douleur ancienne. Ces trois mots résonnent d'une voix grave et rassurante, une voix qui enveloppe, chérit, prend dans ses bras. On ne peut pas ne pas répondre à quelqu'un qui vous demande *Comment tu vas ?* Fût-ce quelqu'un à qui on a dit il y a peu *J'ai besoin d'une pause*. J'appuie sur envoi, je tire bêtement la chasse et retourne à table. Personne ne relève mon arrivée, il est question de taxe d'habitation et je me dis que finalement n'importe quelle phrase pourrait être légitime dans un cadre aux toilettes. *Si tu n'as pas d'abattement, compte environ la valeur du montant d'un loyer*, illustré par un troupeau de girafes devant un coucher de soleil. Pendant quelques minutes, je me prends à jouer au jeu de la citation dans les toilettes, attrapant des phrases de la discussion au vol, les encadrant et les accompagnant d'une illustration d'animal

80

sauvage épris de liberté. Pour la première fois depuis le début du repas, je me sens léger, je me sens bien, tout va recommencer comme avant. Au commencement était le verbe, au recommencement était la question.

Bonsoir à tous... Je ne vais pas faire long, ne vous inquiétez pas... Je suis très heureux et très touché d'être parmi vous ce soir, c'est un grand honneur que me font là Sophie et Ludovic... J'espère que vous allez passer un merveilleux moment, mais je n'en doute pas une seconde, sachant la soirée aux petits oignons que vous ont concoctée les mariés... Vous pensez bien que je suis dans le secret des dieux et que je connais un peu les surprises que ces deux petits cachottiers vous ont réservées... (taquines manifestations d'impatience dans l'assistance). Non non non, n'insistez pas, j'ai prêté serment... Bon, allez, mais c'est bien parce que c'est vous... Je crois savoir, par exemple, qu'une soirée karaoké spécial années 80 vous attend après le repas, pour ceux d'entre vous qui auront envie de pousser la chansonnette. Mais ça n'est pas tout... Je vous le dis ?... Allez je vous le dis, j'espère que Ludo et Sophie ne m'en voudront pas trop de déflorer cette surprise... Donc, je crois savoir qu'à un moment donné Ludo et Sophie monteront sur la scène pour chanter *Pour le plaisir* d'Herbert Léonard, et tout à coup, qui surgira de derrière le rideau ? Je vous le donne en mille... Non, Tonton Claude, pas Herbert Léonard, mais tu brûles... Le sosie officiel d'Herbert Léonard ! Et vous prendrez tous vos portables pour immortaliser cette image incroyable, Robert Léonard (oui c'est son nom) se tenant entre Ludo et Sophie. Puis tous deux le laisseront seul sur scène et il entamera pour votre plus grand plaisir un pot-pourri de ses succès inoubliables, et on se demandera toujours pourquoi ce passage, *Je n'ai qu'un péché, ton triangle d'or*, à quel moment un parolier en vient-il à écrire une telle phrase, on pense à la dépression, à l'alcool, à un enfant mort en bas âge, mais qu'importe, ce n'est pas le sujet, vous chanterez avec lui et ce sera un moment de partage d'une grande intensité et vous rentrerez chez vous, au bout de la nuit je l'espère, avec ce sentiment d'avoir vécu quelque chose, d'avoir été au centre d'un événement, au centre d'une communion. Longtemps cette anecdote sera votre fait d'armes, votre petite gloire à vous.

Certains auront visité les temples d'Angkor, d'autres auront essayé le jet-ski, d'autres encore auront fait des balades à dos d'éléphant à Chiang Mai, vous, vous aurez passé une soirée avec Robert Léonard, et vous ajouterez *Et en fait il est hyper sympa, c'est quelqu'un de très simple, très abordable, on a même pris une photo avec lui, attends, où est-ce que je l'ai mise ?* Je vous souhaite une bonne soirée.

C pas a toi que j ai prete mon vinyle de sticky fingers? Comment a-t-il pu me faire ça? Lui qui sait mieux que personne les affres que je traverse, qui les a traversées lui-même il y a quelques années, la dernière grande rupture de sa vie dont il ne s'est jamais vraiment remis. Et j'étais là moi, Sébastien, je ne t'envoyais pas des messages disant *C pas a toi que j ai prete mon vinyle de carlos gardel?* Je ne faisais pas vibrer inutilement ton portable dans ta poche, je ne faisais pas battre ton cœur dans le vide. Chloé l'a quitté sans préavis le 25 juin 2009, le jour de la mort de Michael Jackson. Ce jour-là, et les jours suivants, la disparition inattendue du chanteur était sur toutes les lèvres et la rupture de Sébastien était passée complètement inaperçue à côté de ce drame international, tout le monde s'en foutait que Chloé soit partie sans un mot, c'était dérisoire, un non-événement. Sébastien s'était vu voler son chagrin par un chanteur surmédicamenté, les gens avaient autre chose à faire que partager sa douleur. Son drame me rappelait celui de Darby Crash, obscur chanteur du groupe punk The Germs, qui avait minutieusement mis en scène son suicide, l'ayant même annoncé officiellement en concert quelques jours auparavant de manière emphatique, presque christique. Il avait tout prévu, tout était calculé pour faire de lui un artiste culte, un martyr du rock à jamais gravé dans les mémoires. Peu importe ce qu'on fait, seule compte la façon dont on part, c'est valable pour tout, la vie, les crémaillères, les histoires d'amour. Il s'était donc suicidé le 7 décembre 1980 à vingt-deux ans, d'une volontaire overdose mortelle d'héroïne. Le lendemain, John Lennon se faisait assassiner devant son hôtel, laissant le monde entier perplexe et hébété. Et le suicide de Darby Crash fut entièrement occulté par cet événement. L'avantage qu'eut Darby Crash sur Sébastien, c'est qu'il n'en sut jamais rien, il n'avait pas assisté à son fiasco. Sébastien, lui, survivait à Michael Jackson et découvrait qu'il y a pire qu'un échec amoureux : l'échec d'un échec amoureux.

Il faut bien avouer que pendant cette période, comme tous ceux qui traversent un chagrin d'amour, Sébastien était d'un ennui abyssal. Dans chaque conversation, quel qu'en soit le sujet, finissait toujours par surgir son sempiternel *Je sors d'une rupture*. Peu importait le thème de la discussion, il réussissait toujours à le placer, obsédé qu'il était par sa tragédie intime. Et je me demande au passage pourquoi on emploie le verbe *sortir*, alors qu'on n'en est justement pas sorti. On sort d'une grippe, d'une pièce, un lapin d'un chapeau, pourquoi utiliser ce verbe pour désigner le moment précis où l'on *est* dans la rupture. Pendant les semaines qui suivirent le départ de Chloé, chaque fois qu'il se retrouvait dans un groupe, chaque question qui lui était adressée, fût-elle sans le moindre lien avec son chagrin, était prétexte à placer son mantra. Je te sers un verre ? Je veux bien, je sors d'une rupture. Tu as vu le dernier film des frères Coen ? Ben non parce que en fait là je sors d'une rupture. Tu as l'heure s'il te plaît ? Non, je suis désolé, je sors d'une rupture.

Et ce n'est pas pour rien que tout ça me revient en mémoire ce soir, ayant ces derniers temps la désagréable sensation d'être moi-même le Sébastien de 2009. J'ai beau m'en défendre, il semblerait que je sois à mon tour pris du syndrome de la rupture hors sujet. Les autres sont incompétents en matière de chagrin d'amour, ils vous récitent des phrases comme *Ne t'inquiète pas, tout passe, il n'y a que le temps*, ou bien *Rien n'est jamais fini tu sais*, ou bien *Laisse-la respirer et respire de ton côté*, ou bien *Tu en trouveras une autre, personne n'est irremplaçable*, on le sait qu'ils sont incompétents, malgré tout on espère toujours que dans l'assistance va se trouver la personne miracle qui vous démontrera par A plus B, de manière rationnelle et scientifique, pourquoi il est inutile d'être malheureux, et qui déroulera un argumentaire implacable, limpide, digne de *C'est pas sorcier, Alors, Jamy, le chagrin d'amour c'est quoi ?* Mais il ne se trouve jamais ce magicien dans les soirées et, d'ailleurs, il y a de moins en moins de soirées, on n'est jamais aussi seul que lorsqu'on se retrouve seul, le vide attire le vide. Un seul être vous manque et tous les autres prennent la fuite.

Que se passerait-il si j'en parlais là, ce soir, tout à coup, entre deux calculs sur la taxe d'habitation ? Voilà, j'avais une amoureuse, nous étions ensemble depuis un an, mais elle m'a quitté il y a trente-huit jours, elle s'appelle Sonia, je suis abattu, j'ai un poids constant sur la poitrine et je suffoque, elle a lu mon message à 17 h 56 sans y répondre, qu'est-ce que vous me conseillez de faire ? Vous croyez qu'elle pense encore à moi ? Ça vous est déjà arrivé ? Et peut-être à partir de cet instant précis nos rapports changeraient-ils du tout au tout, peut-être découvrirais-je de nouveaux visages, en fait tout ça n'était qu'une couverture, la taxe d'habitation, le gratin dauphinois, peut-être une profondeur insoupçonnée surgirait-elle tout à coup de nulle part, sous le chauffage au sol, une fois la dalle arrachée, trouverait-on du Shakespeare, du sang, des larmes, de la sueur, de la vodka sur des violons tziganes ? Mais non. Les quatre personnes autour de cette table sont probablement les moins habilitées sur Terre à pouvoir me soulager. Au mieux ma mère irait en silence dans la cuisine me préparer un jus d'orange pendant que mon père m'enverrait un clin d'œil complice totalement hors sujet.

La comète de Halley possède une période de soixante-seize ans, le temps de cuisson d'un œuf à la coque est de trois minutes (départ eau bouillante), la durée de gestation d'une éléphante se situe entre vingt et vingt-deux mois, quelle est la durée moyenne d'une pause ? Et quelle est la durée moyenne d'un chagrin d'amour ? Pourquoi ne pourrait-on pas l'évaluer de manière empirique ? Pourquoi un budget de la recherche n'est-il pas consacré à cette maladie qui est probablement la plus répandue sur la planète ? Mais non, elle est traitée avec un mépris incompréhensible, comme une maladie orpheline qui ne serait pas suffisamment rentable pour les laboratoires pharmaceutiques. Mon optimisme de la question ouverte s'étiole à mesure que les minutes passent sans réponse, et l'envie d'encadrer des phrases saisies çà et là pour les mettre aux

90

toilettes m'abandonne peu à peu. Je décrète alors que si elle ne m'a pas répondu avant la fin du repas, je l'appellerai. Je m'étais promis de ne pas le faire, de même que je m'étais aussi promis de ne pas lui écrire, mais je savais au moment même où je prenais cette résolution qu'il s'agissait d'un vœu pieux. La seule raison qui aurait pu m'empêcher de lui écrire eût été que j'en sois empêché physiquement, comme avoir les doigts broyés entre deux parpaings et me retrouver les deux mains dans le plâtre pendant disons un mois, le temps que mon envie de lui écrire s'atténue un peu. Et je ne sais plus où j'ai lu que Géricault, durant l'élaboration du *Radeau de la Méduse*, s'était entièrement rasé la tête pour ne pas être tenté d'aller au bal, le soir, courtiser des demoiselles, ce qui lui aurait fait perdre un temps précieux et l'aurait détourné de sa mission. Dans l'impossibilité physique de sortir et d'aller se montrer en public le crâne rasé, il n'avait plus eu d'autre choix que de se consacrer pleinement, nuit et jour, à son œuvre. Mais n'est pas Géricault qui veut, au mieux n'étais-je que l'un de ses naufragés sur le radeau, celui allongé qui agonise au premier plan, entièrement nu à l'exception d'une paire de chaussettes dont la légende raconte qu'elles ne seraient là que pour des raisons bêtement techniques, Géricault n'ayant pas réussi à peindre des pieds satisfaisants, comme quoi on peut être empêché physiquement sans toutefois être tout entier à son œuvre, et il est bien possible que les doigts broyés par les parpaings n'auraient pas réglé grand-chose non plus.

Je décrète arbitrairement que, si au moment précis où ma mère pose le dessert sur la table – un gâteau au yaourt à coup sûr, je n'ai jamais vu ma mère préparer un autre dessert que du gâteau au yaourt, pourquoi changer quelque chose qui marche ? dirait ma mère, et après tout, elle n'aurait pas tout à fait tort –, donc si au moment où le gâteau au yaourt touche la toile cirée je n'ai pas de nouvelles de Sonia, je l'appellerai. Je ne m'imagine pas une seconde rentrer chez moi sans nouvelles, me retrouver seul face au silence abyssal de mon appartement. Je pourrais dormir chez mes parents, mais passer la nuit dans cette chambre d'enfance que ma mère n'a jamais voulu toucher, dont elle n'a jamais voulu déplacer le moindre objet de crainte d'effacer d'un trait le souvenir d'un passé insouciant, véritable mausolée à la gloire d'une adolescence perdue, entre mes livres de Stephen King, mes albums photo, ma guitare, la tête sous mon poster de *Dark side of the moon*, dormir là me semble finalement aussi peu réjouissant que rentrer chez moi. Entre le vide du présent et le trop-plein de passé, mon cœur balance. Et je revois mon poster de *Dark side of the moon* et il m'apparaît que cette image est l'exact négatif d'une rupture amoureuse. Si l'on inverse l'image, le prisme symbolise la rupture, on y entre plein d'un large spectre lumineux et on en ressort blême et vide et sans substance, et je réalise que je divague complètement quand j'entends Ludo me dire, droit dans les yeux, *Un champignon ! Tu imagines ? Un simple champignon, et la fourmi est totalement possédée, elle n'est plus maîtresse de ses moyens, elle fait ce que l'hormone lui dicte !* Je réponds C'est dingue, et ça semble être effectivement dingue parce qu'il me sourit, satisfait. Et j'éprouve un léger frisson à l'idée que son anecdote aurait très bien pu ne pas être dingue.

Subitement me revient le rêve que j'ai fait cette nuit. Je me rends à une sorte de banquet, un banquet de colloque ou de festival, je ne sais pas exactement, mais j'imagine qu'il faut y voir un lien inconscient avec le mariage. Il n'y a pas vraiment d'horaire fixe de repas, les gens arrivent par petits groupes, s'attablent, et aussitôt un serveur vient leur apporter une assiette de gambas, des gambas énormes, bien rouges, brillantes, juteuses, il s'agit vraisemblablement du plat unique, et la multiplication de ces assiettes de gambas me fait saliver, leur saveur me parvient jusque dans mon sommeil. Je vais m'attabler dans un coin de la salle et attends patiemment que le serveur m'apporte mon assiette. Je trouve qu'il tarde à venir, mais peu importe, je tue le temps en admirant toutes ces gambas autour de moi, laissant monter la frustration jusqu'aux limites de l'insoutenable.

Au bout d'un moment, un serveur arrive et pose devant moi un bol de vermicelles, puis il repart sans un mot. Et je reste quelques secondes devant ce bol de vermicelles sans bien comprendre ce qu'il se passe. Tous autour de moi sont en train de se gaver de gambas et moi j'ai un bol de vermicelles. J'ai bien conscience qu'il s'agit d'une erreur et qu'il suffirait que j'appelle le serveur pour le signaler, mais je n'ose rien dire. Alors, tout en scrutant les nouveaux arrivants se faire servir de larges assiettes de gambas, je m'attaque à mon bol de vermicelles, bol qui, du reste, est essentiellement constitué de bouillon, les vermicelles y étant assez rares. Je me suis réveillé à ce moment-là. Que signifie ce rêve ? Que représentent ces gambas ? Pourquoi m'était-il inconcevable d'appeler le serveur et de lui dire le plus simplement du monde *Excusez-moi, il se trouve que vous avez fait une erreur, vous m'avez servi un bol de vermicelles en lieu et place de l'assiette de gambas* ? Le serveur se serait excusé, il m'aurait expliqué qu'ils étaient un peu débordés parce qu'un extra devait venir les aider mais qu'il avait annulé au dernier moment, il serait alors allé chercher mon assiette de gambas énormes et bien rouges et brillantes et juteuses en s'excusant une dernière fois et l'incident aurait été clos. Ce matin, en buvant mon café, debout appuyé contre l'évier, je m'en voulais terriblement de ne pas avoir appelé le serveur, et il m'est apparu que ce rêve me faisait passer un message bien précis : Tu vois, ne pas avoir osé dire au serveur que tu avais eu un bol de vermicelles alors que les autres avaient des gambas, c'est l'histoire de ta vie. Et tu manges les vermicelles sans rien dire. Et dans ton bol il n'y a quasiment pas de vermicelles, seulement du bouillon. Cette journée avait mal commencé, je n'aurais jamais dû envoyer mon message aujourd'hui, c'était un signe, on n'envoie pas un message de détresse à 17 h 24 alors que tous les indicateurs sont au rouge dès le matin, que tous les signes vous supplient de ne rien faire, de tout reporter au lendemain, de raser les murs. On n'envoie pas un message, qui plus est sans question ouverte, après un bol de vermicelles dans une soirée gambas. C'est ne pas être à l'écoute de son destin.

À quel moment tout a basculé, Sonia ? À quel moment est apparue cette disponibilité affective prête à accueillir un Romain à la douleur ancienne ? Et j'ai un souvenir précis des premiers signes d'irritation. Je me souviens d'une nuit durant laquelle j'avais été réveillé par une forte douleur à la poitrine. Je m'étais assis sur le lit, suffoquant, et tu t'étais levée en sursaut, tu courais dans tous les sens, ne sachant que faire, tu voulais appeler les pompiers, le Samu, les urgences, la panique te faisait confondre tous les numéros, et entre deux courses folles tu venais caresser mes cheveux, m'assurant que tout allait bien se passer, que ce n'était rien, et tu me couvrais de tendres et minuscules baisers. La deuxième fois que ça m'était arrivé, tu t'étais réveillée aussi, moins empressée que la fois précédente, mais tu m'avais calmé, rassuré. Les fois suivantes, tes réactions s'étaient faites de plus en plus sobres, tu t'agitais de moins en moins, jusqu'à finir par ne même plus bouger, me tournant le dos, et j'avais beau suffoquer, rien, pas un geste, à peine t'entendais-je soupirer d'agacement. Et ça me donnait presque envie de mourir, rien que pour te punir de ton indifférence, si mon cœur lâchait, là, juste à côté de toi, tu regretterais toute ta vie de n'avoir eu à m'offrir comme dernier geste qu'un soupir agacé dans un demi-sommeil. Et la honte suprême, le matin au petit déjeuner, de n'être pas mort, d'être attablé bien vivant devant une tartine de confiture de groseilles, sans la moindre séquelle d'accident cardiaque. Et le non-dit d'un énième décès nocturne qui plane au-dessus de la table avec le gargouillis de la cafetière. Et la gêne tenace d'avoir parlé en pleine nuit de défibrillateur, de lame qui transperce le cœur, de bras tétanisé et de tunnel avec une lumière au bout. Pire que la mort occultée de Darby Crash : la non-mort, le non-infarctus, la douleur à la poitrine dépourvue de la moindre tragédie. Et le socle de la virilité, du repère solide et rassurant, qui s'émiette un peu plus chaque jour à mesure que s'accumulent cancers de la peau, tumeurs au cerveau, ruptures d'anévrisme et grippes tropicales foudroyantes. Et puis un matin, cette phrase, sèche, abrupte, lourde de lassitude larvée, *Franchement ça commence à devenir pénible... Tu as toujours quelque chose qui va pas... Si tu vivais dans certaines régions d'Afrique, tu saurais ce qu'est la vraie détresse...* Cette attaque m'avait touché en plein cœur avec la même force que celles qui m'assaillaient pendant la nuit. L'Afrique. Alors, comment te dire, Sonia. Comment t'expliquer, Sonia, à quel point ton exemple tombe on ne peut plus mal. Parce que, pardon, mais sais-tu seulement tout ce que j'ai fait, moi, pour l'Afrique ? Tiens, par exemple, à tout hasard, as-tu entendu parler du Bénin ? Ça te dit quelque chose ? Eh bien sais-tu que, dans mon passé, j'ai été activement impliqué dans le développement du Bénin ? As-tu seulement conscience de ma contribution à la croissance de ce pays ? As-tu donné, toi, quinze stylos ? Évidemment que tu ne savais pas, bien sûr que tu ne savais pas, je n'ai pas pour habitude d'étaler mes faits d'armes à tout bout de champ. Ne sois pas désolée, ce n'est pas grave, mais l'Afrique, hein, s'il te plaît, pas à moi. Et toi, Sonia, as-tu déjà entendu au Bénin une femme déclarer à son conjoint qu'elle a besoin d'une pause ? Au Bénin on a besoin de stylos, on n'a pas besoin de pauses, les pauses c'est des besoins de luxe.

En même temps que son désintérêt progressif pour mes décès nocturnes, j'ai vu peu à peu s'opérer le triste et fatal glissement sémantique du petit nom affectueux, cette sensible tectonique des plaques qui n'est que le signe visible et apparent d'un bouleversement bien plus ample s'opérant en profondeur. Je pourrais presque dater et diviser les phases précises des différents noms, les chapitrer, comme un livre qui raconterait l'histoire d'un naufrage, celui de *la Méduse*, à la fin duquel je me retrouverais au premier plan, nu et en chaussettes. Au tout début de notre passion, Sonia m'appelait *Mon cœur d'amour*. Et je trouvais cette appellation aussi incongrue que bouleversante, bouleversante parce que incongrue, parce que n'appartenant qu'à elle. Et puis un jour on est passés à *Mon cœur*, et c'était encore beau, *Mon cœur*, c'est magnifique. Et puis un jour ce fut *Mon Adrien*, et ça restait tendre, même si le cœur avait disparu on ne sait où, il subsistait le *Mon*, ce signe d'appartenance, ce lien indéfectible tendu entre nous jusqu'à la fin des temps. Et puis un jour ce fut *Adrien*. Sans *Mon*, sans *cœur*, sans rien, sec, à l'os, presque une immatriculation, et la sonorité d'*Adrien* venait renforcer ce rien, *Ad* Rien, *vers* rien. Et on comprend à ce moment-là qu'on est au dernier chapitre, et ça sent le radeau à plein nez. La descente du *Mon cœur d'amour* à *Adrien* est une piste noire verglacée qu'on descend sur les fesses, sans pouvoir rien faire d'autre qu'attendre d'être en bas, passif et résigné.

Sonia et moi nous sommes donc vus pour la première fois à une soirée de jour de l'an. Quand j'ai reçu par mail l'invitation de Karine et Jérôme où il était question d'une soirée costumée, l'affaire était pliée, il était hors de question que je m'y rende. Mais, très vite, le spectre de la soirée de réveillon passée seul à boire de la bière affalé sur le canapé devant une émission de chœurs d'enfants reprenant des chansons de variété avait fait naître en moi un embryon de dépression, et j'en avais conclu qu'il valait toujours mieux être pathétique à plusieurs que seul, et sur le moment l'argument m'avait semblé tenir la route. J'avais donc accepté, décidant de reporter la question du costume à plus tard, à tel point que, la veille de la soirée, je ne m'en étais toujours pas occupé. Je m'étais alors rendu dans une boutique spécialisée, avais été saisi d'une crise d'angoisse au milieu de tous ces déguisements, et étais ressorti au bout de dix minutes avec une paire de gants de Wolverine, le superhéros irascible des X-Men, de longs gants bleus pourvus de trois longues griffes en plastique gris. Mon costume : des gants. Le hors-sujet du siècle, le foutage de gueule intégral. L'invitation précisait *On se charge de l'alcool, apportez un petit quelque chose à grignoter*, et cette clause m'était revenue au dernier moment. J'étais passé juste avant la soirée dans la seule pâtisserie ouverte à deux rues du lieu des festivités. La pâtissière n'avait plus grand-chose, excepté une tarte aux quetsches. Une tarte aux quetsches. Est-ce qu'on pouvait raisonnablement arriver à un réveillon avec une tarte aux quetsches ? Les convives allaient probablement me poser mille questions sur les raisons de mon choix, on n'arrive pas à une soirée avec une tarte aux quetsches sans vouloir faire passer un message, sans mendier une demande d'attention, comme ces couples qui font le tour de monde et qui, à leur retour, disposent des figurines en bois et des instruments de musique indigènes bien en évidence un peu partout dans leur salon afin que les invités leur demandent d'où est-ce que ça vient. Alors comme ça tu affectionnes les prunes de Damas, tu es quelqu'un qui aimes voyager, c'est ça ? Pas particulièrement, je connais un peu le Bénin mais ça n'a rien à voir, il se trouve que la pâtissière n'avait plus que ça. On a fait plus exotique comme réponse.

À peine entré dans le salon bondé, je m'étais senti très mal à l'aise, pris d'une bouffée d'angoisse remontant à loin, et il ne m'avait fallu qu'une fraction de seconde pour l'identifier : je revivais à quarante ans ce rêve récurrent que l'on fait, enfant, où l'on se retrouve dans la cour de l'école en pantoufles. Autour de moi s'agitaient des Batman, des pirates des Caraïbes, des Princesse Leia, des Chewbacca, des Zorro, des Mario Bros et autres personnages de séries que j'étais probablement trop vieux pour connaître, des déguisements tous plus élaborés les uns que les autres, et ces gens avaient dû passer des jours et des jours à trouver le bon costume, à arpenter les magasins spécialisés sans crise d'angoisse, voire pour certains à le confectionner de toutes pièces, et moi j'avais des gants, des gants avec des griffes. J'étais mort de honte. Outre le fait que mon costume était le plus sommaire et le plus déplorable de la soirée, il s'était aussi avéré, contre toute attente, le moins pratique. Les griffes étaient si longues que le moindre de mes mouvements se transformait en mini-catastrophe.

Chaque fois que je voulais attraper un verre ou un toast au saumon ou une part de quiche, mes griffes renversaient quelque chose vingt-cinq centimètres plus loin. Mais je ne pouvais me résoudre à les enlever étant donné qu'ils constituaient mon seul et unique déguisement. C'était la pire idée de costume de l'histoire des soirées costumées, le minimalisme n'a pas que du bon. Pour me donner une contenance, je m'étais collé au buffet quand une fille, Sonia donc, s'était approchée de moi. Elle était vêtue tout de noir, d'un pantalon assez large et d'un débardeur serré, et une sorte de complicité de clan, ajoutée aux quelques verres que j'avais déjà bus, m'avait fait braver ma timidité naturelle pour me risquer à une phrase d'approche. Vous non plus vous n'aimez pas vous déguiser ? *Si si, je suis déguisée.* (Ah.) *Je suis déguisée en Nina Persson.* (Ah.) *La chanteuse des Cardigans, dans le clip* My favourite game. (Ah.) *Bon, il me manque le bandage à l'avant-bras, mais j'étais un peu pressée, j'ai pas eu le temps…* Je n'avais pas su trop quoi répondre à ça, j'avais cherché une repartie pertinente et drôle et d'un charme fou, mais je ne connaissais aucune Nina Persson, aucun clip des Cardigans, et mon silence paniqué m'avait semblé durer des heures. Elle avait fini par éclater de rire. *Je vous taquine, je ne suis pas déguisée, je ne fais que passer pour saluer*

Karine, je suis attendue à une autre soirée. Et le vouvoiement un peu artificiel entre nous et son rire de petite fille et son air mutin et sa façon de dire ça comme si la vie était un grand jeu, tout cela était un îlot de légèreté au milieu de cette soirée, et mes pantoufles et moi nous sentions subitement moins seuls. Nous avions échangé quelques mots, c'est là que j'avais bêtement commencé à lui parler de l'Afrique, quand Karine, déguisée en ce qui me semblait être Blanche-Neige, s'était approchée de nous et m'avait demandé de lui passer la bouteille de Coca posée sur la table derrière moi. Je l'avais attrapée, la lui avais tendue et une de mes griffes était malencontreusement entrée dans sa narine, elle avait poussé un cri suraigu qui avait semblé déchirer la soirée et s'était mise à saigner abondamment. Tout le monde s'était aussitôt attroupé autour d'elle, et l'on aurait dit les Sept Nains venant à sa rescousse, et, l'alcool aidant, les réactions étaient totalement dispro-portionnées, comme s'il eût été question d'un AVC ou d'une carotide tranchée par un cou-teau à pain. Batman lui disait de lever le bras pour moins saigner, Peter Pan tentait d'appeler je ne sais quel numéro, et chacun y allait de sa théorie sur le saignement de nez (j'ai même cru entendre dans le tas un *C'est bon pour la santé*). J'étais tout penaud, ma bouteille de Coca à la main, sans trop savoir quoi faire. La seule que tout ça paraissait amuser était Nina Persson qui était partie dans un fou rire irrépressible, et j'étais partagé entre l'envie de rire avec elle dans un élan de connivence et de complicité et une retenue coupable. Un petit groupe avait accompagné Karine à la salle de bains et je m'étais mis bêtement à les suivre, comme un stagiaire en entreprise qui ne sert à rien mais qui fait preuve de bonne volonté. Quand j'étais revenu, Nina Persson avait disparu. Le reste de ma soirée avait consisté à boire et à éviter de croiser le regard de Blanche-Neige et son blanc coton qui dépassait du nez. J'avais fini par enlever mes gants, je n'étais plus déguisé qu'en moi, et c'était aussi lourd à porter que le costume de Chewbacca. L'année commençait bien.

La deuxième fois que j'ai vu Sonia, c'était à la FNAC, un mois après la soirée du jour de l'an, je m'y étais rendu afin d'acheter un cadeau d'anniversaire pour ma mère. Mes parents, après que leur platine eut rendu l'âme, avaient décidé de se jeter à corps perdu dans le futur et fait l'acquisition d'un poste CD, ils s'étaient fixé pour mission de se racheter peu à peu leurs disques vinyles en CD et voilà qui était une excellente nouvelle pour ma sœur et moi, nous étions parés en idées cadeaux pour les années à venir, ma sœur pouvait dormir tranquille : des CD et des encyclopédies, l'Apocalypse pouvait bien avoir lieu, elle était prête. J'avais fini par trouver un CD des plus grands succès de Claude Barzotti, ma mère étant particulière-ment sensible à sa voix chaude et rocailleuse qui transpire le chianti et les amours perdues, et, alors que je déambulais, mon CD à la main, dans le rayon littérature, je l'avais aperçue, Sonia, à l'autre bout de l'allée, accompagnée d'un type grand, mince et roux, et tous deux avançaient dans ma direction. Je n'avais pas vraiment repensé à elle depuis son passage éclair à la soirée, mais en la revoyant là, habillée quasiment de la même façon, à l'exception d'un blouson noir posé sur les épaules, tout m'était remonté instantanément, son rire enfantin, sa voix mutine, ses petits yeux brillants, et j'avais envie de ça à nouveau, et la croiser devint en un quart de seconde une priorité absolue. J'avais alors réalisé que je tenais à la main un CD des meilleurs tubes de Claude Barzotti, et il était impensable que cette fille me voie avec un CD des meilleurs tubes de Claude Barzotti à la main, après les griffes de Wolverine, ça commençait à faire beaucoup. Dans un réflexe de panique, je l'avais glissé dans mon sac et avais attrapé au hasard un livre à feuilleter pour me donner une certaine contenance. C'était un recueil de poésies format poche, *L'accent grave et l'accent aigu* de Jean Tardieu, je l'avais ouvert au hasard aussi, lisant et relisant les trois mêmes vers, *Pleuvoir n'est pas mentir / Sauver n'est pas dissoudre / Gravir n'est pas renaître*, et je ne comprenais rien à ces vers, mais on ne demande pas à la poésie d'être comprise mais d'être ressentie, et d'imprimer à celui qui la lit un air pénétré, lointain, absent au monde des vivants. J'avais levé les yeux, encore tout empli de l'insondable profondeur des vers de Jean Tardieu, alors qu'elle était à peine à un mètre de moi, timing parfait, et nos regards s'étaient croisés, et le sien s'était teinté, me semblait-il, d'une surprise amusée. *Ça alors...* Elle s'était approchée maladroitement, nous nous étions salués comme deux ados timides puis, s'apercevant qu'elle manquait à tous les codes de politesse, elle m'avait présenté le type qui l'accompagnait, Alex, bonjour Alex, et à mon endroit elle avait dirigé une main un peu incertaine qui signifiait quelque chose comme *Excuse-moi j'ai oublié ton prénom* et sur le moment j'en avais été meurtri, avant de réaliser qu'elle ne pouvait pas connaître mon prénom puisque je ne le lui avais jamais donné, de même que je ne connaissais pas le sien. J'avais bêtement serré la main du type grand, mince et roux, tout en me disant Mince, elle a un amoureux, elle a un amoureux grand, mince et roux, elle aime les grands minces roux, et j'avais été pris d'un sentiment de jalousie un peu irrationnel, et elle avait ajouté *Ah au fait moi c'est Sonia.* Sonia. *Soñar,* rêver en espagnol, cette fille s'appelait Sonia, elle ne s'appelait pas Valérie ou Christelle ou Stéphanie, non, Sonia, j'étais foutu. Nous avions échangé quelques mots sans grande teneur, des mots de rayons de FNAC, jusqu'à ce *Tu es venu sans tes griffes ?* lancé d'un ton espiègle et légèrement provocateur, et ce clin d'œil à notre rencontre précédente m'avait bouleversé. J'y voyais une main tendue, j'y voyais une demande d'intimité, j'y voyais une invitation à nous revoir, et peut-être y voyais-je un peu trop de choses. D'autant plus bouleversé qu'il s'agissait là du premier tutoiement, *Tu es venu sans tes griffes ?* Et j'étais aussi troublé que si elle venait de me déclarer sa flamme, là, au milieu du rayon poésie et littérature. J'avais bafouillé une réponse ni très pertinente ni très amusante, nous avions encore échangé deux trois mots puis elle était repartie, avec son type grand, mince et roux. J'apprendrais plus tard qu'il ne s'agissait en fait que d'un ami, homo de surcroît, mais sur le moment, alors qu'ils s'éloignaient, j'avais criblé son dos d'ondes létales.

J'avais déambulé encore un peu dans un état second avant de me décider à repartir et, alors que je sortais du magasin, le portique avait sonné. Le vigile de l'entrée, avec sa chemise blanche et ses avant-bras veineux, s'était approché de moi et m'avait demandé d'ouvrir mon sac. Ce n'est qu'en m'exécutant que le CD de Claude Barzotti m'était revenu en mémoire. Je l'avais sorti, tout penaud, tentant d'expliquer au vigile que je l'avais glissé dans mon sac machinalement, la tête ailleurs, et je devinais à son expression que c'était probablement l'alibi numéro un qu'on lui servait du matin au soir et qu'il aurait payé cher pour entendre, ne serait-ce qu'une fois, une défense qui ne soit pas celle-là, qui sorte un peu de l'ordinaire, quelque chose de plus élaboré, de plus romanesque. Sonia et Alex étaient sortis du magasin à ce moment-là, s'étaient arrêtés à ma hauteur et Sonia m'avait demandé *Tout va bien?* et, ce faisant, avait fixé le CD dans ma main, et la pensée qui la traversait probablement à cet instant précis était *Il s'est fait prendre par le vigile en train de voler le CD* Les plus grands tubes de Claude Barzotti *à la FNAC*, et je me demandais si cette phrase n'était pas la phrase la plus humiliante qu'on puisse imaginer. J'avais bafouillé *Oui oui, pas de souci, un simple malentendu*, et ils s'étaient éloignés dans un salut que je leur avais rendu de la main qui tenait mon CD, au cas où elle n'aurait pas bien compris que j'aimais Claude Barzotti. Et, alors que Ludo me parle du tardigrade qui résiste à tout, Adrien, absolument tout, à des conditions proprement hallucinantes (Est-ce que le tardigrade résiste au chagrin d'amour, Ludo? Ah, tu vois, alors il peut aller se rhabiller ton tardigrade), alors que le tardigrade peut résister à des températures allant de − 200 °C à +100 °C, qu'il résiste aux radiations et à des pressions impressionnantes, et alors que le tardigrade pourrait même vivre dans l'espace, résonne en moi ce refrain d'une chanson de Claude Barzotti, *Je ne t'écrirai plus, je n'en ai plus besoin*, et tout se recoupe, le destin était déjà scellé dès notre deuxième rencontre, la fin était gravée, voilà, je lirai ton message à 17 h 56 mais je n'y répondrai pas, je ne t'écrirai plus, je n'en ai plus besoin, je ne t'écrirai plus, maintenant tout va bien, je ne t'écrirai plus, j'ai trouvé mon Romain, je ne t'écrirai plus, tu es vraiment trop crétin, et une foule de rimes ridicules se déroulent en cascade dans ma tête alors que, non, Sonia, ça ne rime à rien, je t'assure, ça ne rime à rien tout ça, réponds-moi, je t'en supplie.

Bonsoir à tous... Je ne vais pas faire long, ne vous inquiétez pas... Il se trouve que Ludo m'a demandé de faire un discours, il m'a demandé ça un soir où j'attendais un message de Sonia... Je lui avais écrit à 17 h 24, elle avait lu mon message à 17 h 56, et ne me répondait pas... Et en fait j'avais accepté par faiblesse, parce que je ne savais pas comment refuser, mais maintenant que je suis là, devant vous, je n'ai qu'une envie, c'est partir... Ça n'est pas contre vous hein, je vous assure, d'ailleurs je ne connais pas la plupart des gens ici... Non, c'est simplement que je suis fatigué, fatigué de subir, fatigué de cette impression de ne rien décider de ma vie... Donc, oui, vraiment, si je m'écoutais, je partirais, là, tout de suite, avant la chenille, avant la Compagnie créole, avant qu'un oncle un peu saoul vienne s'asseoir à côté de moi avec sa chemise ouverte pour me dire qu'il m'a connu grand comme ça et que le temps passe à une vitesse folle et qu'il faut en profiter tant qu'on est jeune... Comment se fait-il que les cérémonies de mariage soient des moments d'une infinie mélancolie alors qu'en toute logique ce devrait être l'inverse ? Pourquoi font-elles remonter à la surface tous les échecs, les manques, les regrets, les remords qui ont jalonné nos vies ? Tout à l'heure, Ludo et Sophie vont s'élancer sur la piste sur *I will always love you* de Whitney Houston et vous allez les regarder avec un sourire attendri. Mais, peu à peu, ce sourire va se figer, votre regard va se voiler et partir loin, très loin, et durant les quatre minutes trente-cinq que dure la chanson, vous allez feuilleter l'album de votre vie et, comme l'oncle à la chemise ouverte, vous vous direz que le temps a passé à une vitesse folle et que finalement vous n'en avez pas fait grand-chose, et vous vous demanderez où sont passées toutes ces ambitions que vous nourrissiez à une époque pas si lointaine, et vous regarderez votre conjoint, car oui mesdames, c'est surtout vous qui éprouverez cette sensation, vous regarderez votre conjoint et vous ne pourrez vous empêcher de penser qu'il n'y est pas pour rien, que les choses auraient pu être différentes, et vous lui en voudrez un peu, et en même temps vous éprouverez pour lui une infinie tendresse, en le voyant là, son sourire

115

suspendu et son regard éteint par le vin, posé sur les danseurs, et vous vous adresserez mentalement à lui, vous lui direz *Pierre, tu n'es pas une mauvaise personne… Après tout, il faut se contenter de peu, on n'est pas malheureux… Hein mon Pierrot qu'on n'est pas malheureux ?* Et quand la chanson se terminera, Ludo embrassera Sophie au milieu de la piste, et vous sortirez brutalement de votre léthargie, retrouverez votre sourire et applaudirez, et vous serez dans un état très étrange et je peux vous assurer que la soirée va vous sembler longue. Je vous souhaite un bon appétit.

Vingt heures seize, que fais-tu, Sonia, à 20 h 16, qui puisse justifier que tu ne me répondes pas ? Vingt heures seize c'est l'heure que choisit mon père pour se lancer dans sa première anecdote. Tous aux abris. Les anecdotes de mon père sont toujours d'un ennui sans nom, elles semblent durer des heures, les écouter est un véritable calvaire. Il les truffe de digressions qui n'ont rien à voir avec le sujet principal et d'ailleurs il y a rarement de sujet principal, le point de départ de ses anecdotes étant invariablement *Je me souviens* – Perec a tout piqué à mon père –, et derrière ce *Je me souviens*, il peut se passer n'importe quoi, derrière ce *Je me souviens* c'est free jazz, c'est chemins de traverse, c'est parenthèses imbriquées les unes dans les autres, c'est matriochka sans fin, c'est codas, c'est flash-back flashforwards flashnowhere, derrière ce *Je me souviens*, plus

117

aucun repère temporel n'a droit de cité, les films de Lynch à côté des anecdotes de mon père, c'est *Le gendarme de Saint-Tropez* le soir de mes trente ans sur le canapé. On se balade sur le segment du temps sans souci de cohérence comme on déambule à travers des dimensions parallèles dans un film de science-fiction. Quand apparaît ce *Je me souviens*, car il y a toujours un moment où il apparaît, à trois ou quatre reprises par repas environ, quand le vin a suffisamment échauffé son esprit, quand apparaît ce *Je me souviens*, on se prépare à l'apnée. Il n'y a bien que ma mère pour l'écouter attentivement, l'air concentré, captivé, prête à le suivre, à relever des approximations narratives et à le relancer si besoin, et c'est peut-être ça la véritable définition de l'amour : écouter attentivement un *Je me souviens* qui n'en finit jamais. Et, chaque fois, j'ai envie de lui dire *Mais maman, arrête de le relancer, arrête de mettre du carburant dans le moteur sinon on va jamais s'en sortir*, et chaque élément apporté par ma mère entraîne une reconfiguration du récit, y greffe de nouvelles arborescences, et des douleurs intercostales commencent alors à m'assaillir. Alors oui, Sonia, peut-être que si je vivais en Afrique, je me plaindrais moins de douleurs intercostales, d'infarctus, de ruptures d'anévrisme, mais viens, viens écouter une anecdote de mon père et on en reparlera – ou du moins, si tu ne veux pas venir, réponds-moi, je t'en supplie, il est 20 h 16, qu'est-ce que tu as d'autre à faire à 20 h 16 que me répondre ?

J'imagine que dans la plupart des familles normalement constituées se trouve toujours un des enfants, le plus affranchi, généralement le cadet, parce que moins alourdi par le poids de l'éducation, qui, à un moment ou à un autre, coupe court avec un tendre mais néanmoins définitif *Attends, papa, c'est bon, tu nous l'as racontée mille fois celle-là.* Mais pas là, pas chez nous. Ma sœur et moi n'avons pas ce type de rapport avec notre père, ce n'est pas du respect, c'est autre chose, quelque chose qui se situerait entre la résignation, le je-m'en-foutisme et la pitié, il doit exister un mot pour désigner le mélange savant de ces trois sentiments. Dans ces moments-là, notre père se dévoile dans toute sa finitude, il nous apparaît étrangement *mortel*, et une petite voix nous susurre *Écoute-le, fais semblant de t'intéresser, ne l'interromps pas, un jour il ne sera plus là.* Et le regard que nous échangeons ma sœur et moi quand mon père sort son premier *Je me souviens* du repas est probablement la seule marque de complicité que nous n'ayons jamais eue. Pendant une fraction de seconde, là où d'autres fratries ont en commun des heures de jeux de société sur la terrasse d'un mobile home, des chorégraphies improbables avec des perruques roses sur des morceaux de Dalida, des secrets échangés au pied d'un châtaignier, nous avons, nous, les *Je me souviens* de mon père, et après tout c'est mieux que rien.

En l'occurrence, dans ce *Je me souviens*-là, il est question d'une gigantesque coupure d'électricité qui avait sévi alors qu'il était enfant, et ses copains et lui s'étaient précipités chez le marchand de bonbons pour faire une razzia, puis on se retrouve dans la Renault 5 familiale la fois où j'ai vomi sur l'auto-stoppeur alors qu'on partait en vacances à La Rochelle, et cette anecdote fait toujours autant rire ma mère alors qu'il nous la ressert à chaque repas, un repas sans le vomi dans la Renault 5 n'est pas un repas totalement abouti, puis tout à coup la gauche a tout fait pour nourrir le Front national et c'est une sacrée bande de faux-culs quand on y pense, Mitterrand était un sacré manipulateur, tu te vois, toi, planquer des micros partout? (Non, papa, je ne me vois pas planquer des micros partout, ou alors, si, là tu vois, puisque tu me le demandes, j'aimerais bien planquer un micro chez Sonia), et ça lui rappelle que c'est dingue le nombre de strepto-coques qu'on attrape maintenant à l'hôpital, le père Guiraud il a fallu lui couper la jambe, et ma sœur, dans un élan de bienveillance, dit *Comme le fils de Depardieu*, alors mon père part faire un tour en Russie avec Poutine. Les interventions de mon père sont des bandes-annonces de film – mais constituées d'extraits de différents films. Et pendant qu'il arpente ses chemins de traverse, je revois la tête de l'auto-stoppeur quand je lui ai vomi dessus, je n'oublierai jamais son visage, trente ans après, je suis sûr que je le reconnaîtrais si je le croisais dans la rue. Qu'est-il devenu ? A-t-il continué l'auto-stop ?

Il existe très probablement sur Internet des discours de mariage types, de la même manière qu'on trouve des CV types ou des lettres de motivation types, je n'aurai qu'à taper *Discours de mariage* sur Google en prenant bien soin de changer les prénoms – un discours adressé à un Frédéric et à une Nathalie pourrait ne susciter qu'un enthousiasme mitigé dans l'assistance. On doit même pouvoir trouver des tutoriels de discours sur YouTube, quelqu'un face caméra qui explique, étape par étape, comment réussir un bon discours de mariage, comme il en existe pour confectionner un masque de vampire en pâte à sel ou apprendre à jouer *My lady D'Arbanville* à la guitare et ainsi pouvoir, dans les soirées, attirer autour de soi un petit groupe béat, groupe au milieu duquel se trouvera une fille qui vous demandera un peu plus tard dans la soirée *Vous faites des interventions en milieu scolaire ?* Couplez ça avec un tutoriel d'expression de douleur ancienne et vous obtiendrez un type qui attend un message depuis 17 h 56 en mangeant du gigot chez ses parents. Il te joue de la guitare, le soir, sur le canapé ? Tu lui passes ton index sur l'arête du nez à lui aussi ? Lui aussi tu l'appelles *Mon cœur d'amour* ? Non, Sonia, il y a des choses qu'on n'a pas le droit de reproduire, il faut réinventer, il faut renaître, tu n'as pas le droit d'utiliser les mêmes noms affectueux, sinon le précédent est effacé, il est écrasé comme l'est un dossier quand on en enregistre un nouveau en le nommant de la même façon, on ne peut pas faire ça. Ces trente-huit jours m'ont semblé si longs, trente-huit jours que je pourrais clairement découper en trois phases distinctes, au jour près : Abattement-Colère-Espoir. Et tout depuis trente-huit jours se déroule selon ce calendrier et nous sommes aujourd'hui le 9 Espoir – et j'attends Renaissance comme on attend les premiers bourgeons du printemps.

Quelques jours après le départ de Sonia (le 5 Abattement pour être plus précis), j'ai eu un besoin irrépressible et, avouons-le, assez tordu de croiser le Romain en question. J'avais besoin de savoir. De savoir si elle était avec lui, et si oui pourquoi, et ce qu'elle lui trouvait, et quel était leur type de relation, j'avais besoin de concret pour avancer, faire mon deuil, du moins était-ce ce que je me laissais croire. J'avais contacté la fille chez qui nous avions passé cette soirée de crémaillère sous un prétexte totalement bâclé (*J'ai un copain qui monte un groupe et cherche un guitariste, j'ai repensé à ce type à ta soirée, tu pourrais me filer son contact?*) et j'avais réussi à obtenir son nom et son adresse. J'aurais pu traquer directement Sonia mais je craignais qu'elle ne me repère assez vite, Romain lui ne me connaissait pas. De plus, je m'étais persuadé qu'il était moins pathétique de filer un inconnu plutôt que son ex-petite amie. Et je crois que j'avais besoin de le matérialiser, peut-être pour le démythifier, le voir manger un croissant et que des miettes restent collées au coin de sa bouche comme ça arrive au commun des mortels, le voir marcher dans une flaque d'eau, le voir détourner le regard d'une mendiante et de son enfant, constater qu'en dehors des crémaillères ce type était d'une banalité affligeante et que Sonia s'en rendrait très vite compte. Toi aussi tu y passeras camarade, toi aussi tu finiras par l'irriter, quoi que tu fasses, c'est comme ça, c'est le cycle de la vie, dès que tu commenceras à baisser la garde, il en sera fini de toi, tu pourras courir d'autres crémaillères. Sais-tu, petit bonhomme à la douleur ancienne, que j'ai réussi, moi, à ne jamais aller aux toilettes faire la grosse commission en sa présence en un an de relation ? Je t'épargne tous les stratagèmes que j'ai dû élaborer, et pourtant, vois-tu, ça n'a rien changé, rien n'empêche la lassitude, rien, pas même une douleur ancienne maîtrisée au cordeau, même ça finit par lasser, même ce qu'on admirait – *surtout* ce qu'on admirait.

J'avais retrouvé son immeuble, m'étais garé en face et m'étais enfoncé dans mon siège comme un détective zélé. J'étais resté là une bonne heure à attendre, à attendre quoi exactement je ne le savais pas moi-même, et à mesure que les minutes passaient et que le jour commençait à décliner, mon entreprise m'était apparue de plus en plus hasardeuse et vaine. Et il était arrivé un moment très précis où je m'étais senti ridicule. J'étais là, dans l'obscurité, assis dans ma voiture, et je ne savais plus très bien quel était le sens de tout ça. C'est alors qu'un couple était venu s'appuyer contre ma portière sans me voir, ils devaient avoir une vingtaine d'années, le type avait plaqué sa copine contre la voiture et avait commencé à l'embrasser fougueusement, et je m'étais retrouvé avec une paire de fesses dans un jeans serré, écrasée contre ma vitre, à quelques centimètres à peine de mes yeux. Il aurait suffi que je démarre, là, tout de suite, et le bruit du

moteur les aurait fait partir, mais j'étais tellement tétanisé que je n'avais rien fait. Et plus
j'attendais, plus cela devenait impossible, ils se
seraient demandé pourquoi j'avais attendu, je
serais passé pour une sorte de voyeur. Ses
mains à lui devenaient de plus en plus insis-
tantes et venaient peloter la paire de fesses en
gros plan et, peu à peu, il avait commencé à
frotter son bassin contre celui de la fille, j'étais
atterré, craignant de faire le moindre mouvement, enfoncé dans mon siège, n'osant même
pas allumer la radio de peur qu'ils n'entendent
et ne découvrent que j'étais là depuis le début.
Résigné, j'avais tué le temps en lisant les
paroles des livrets de CD qui traînaient dans
ma voiture, attendant patiemment qu'ils s'en
aillent. L'habitacle tanguait doucement et je
m'imaginais dans un transat au milieu de
l'océan, bravant les vagues et les embruns. La
traversée du néant en solitaire. C'était la fila-
ture la plus ratée de l'histoire des filatures, si
on avait dû en faire un film policier, je doute
qu'on eût affolé le box-office.

Quand Ludo parle, on lit dans les yeux de ma sœur une admiration sans bornes, une lueur de groupie face à son idole. Voilà ce qui a manqué à Sonia ces derniers mois : elle ne m'admirait plus. Elle m'avait admiré, et puis un jour elle a fini de m'admirer, c'est aussi simple que ça. Et Sophie admire d'autant plus Ludo quand il se lance dans ses petites anecdotes de vulgarisation scientifique, là ses yeux disent *Vous avez vu, il en sait des choses hein, il est à moi, c'est mon amoureux, c'est mon futur mari, nous allons nous marier, et, qui sait, peut-être aura-t-on droit lors de la cérémonie à un discours merveilleux d'un membre de la famille.* Ludo écrit des articles dans une revue scientifique pour ados, c'est quelqu'un de brillant. Mais quel besoin a-t-il de parler de tout ça à table chaque fois que nous nous retrouvons ? Un peu comme si un maçon, en plein milieu d'un repas de famille, se levait soudain, sans un mot, et se mettait à préparer du mortier avant de monter un mur en parpaings sur la terrasse. Ou bien un coiffeur qui, de temps à autre pendant le repas, ferait le tour de la table pour couper les cheveux des invités pendant qu'ils mangent, comme ça, sans même demander leur avis. Pour autant, je ne décèle chez Ludo aucune arrogance, aucune volonté d'épater la galerie, je mets ça sur le compte d'une forme de volonté de pédagogie permanente, un élan au fond plutôt bienveillant, et en un sens je le trouve touchant. Même si nous sommes très différents, je nous sens sortis de la même matrice. Chaque fois qu'il me parle de taxons Lazare ou des moaï de l'île de Pâques, avec son air passionné et ses gestes des mains très méticuleux, je ne peux m'empêcher de me dire que, adolescent, lui aussi a dû vivre l'élaboration des équipes de foot comme un calvaire. J'ai un sixième sens pour ça : je sais reconnaître au premier coup d'œil les derniers choisis.

Au collège, je faisais partie de ceux dont personne ne veut dans son équipe, celui qui voit un à un ses camarades appelés se lever pour rejoindre un groupe, et qui finit par rester seul sur le bitume comme un déchet mal balayé. *Oh non, c'est vous qui le prenez aujourd'hui, nous on l'a déjà eu hier ! — Ouais mais nous on l'a eu deux fois de suite la fois d'avant !* On parlait de moi comme d'une MST, un truc qui s'attrape par mégarde et dont il faut à tout prix se débarrasser, et j'assistais en direct à mon portrait brossé par mes camarades, la moindre de mes tares détaillée par le menu, et ils alignaient les arguments comme si je n'étais pas là à les écouter. *Non mais attends c'est une vraie tortue avec son gros cul, le temps qu'il traverse le terrain et c'est la mi-temps,* ou bien *Oh non, pas nous, c'est bon, il sait pas taper dans un ballon, il file toujours le ballon aux adversaires.* Très vite, des transactions se mettaient en place. *Ok, on le prend mais on part avec un but d'avance.* Ou : *D'accord, on se le tape, mais vous prenez le camp contre le vent.* Et je devenais le fruit d'interminables discussions de marchands de tapis. En un sens, être le centre d'autant d'attention était flatteur. Parfois, j'étais même littéralement monnayé, *On vous file un franc chacun si vous le prenez.* — *Nous on vous file un franc cinquante.* J'étais le seul produit dont les négociations s'effectuaient à l'envers, le but étant de payer le plus cher possible afin de ne pas m'obtenir. J'étais un précurseur des transferts sportifs, mais inversés, sorte de mercato négatif, produit d'une nouvelle économie de marché, une économie alternative fondée sur des transactions de produits périmés, inutiles. Il aurait suffi que je me lève, silencieux, le regard droit, et que je déclare d'un ton péremptoire : *Allez tous vous faire foutre, j'ai pas envie de jouer.* Affirmer mon indépendance, ma supériorité, les planter là, et un silence respectueux se serait installé. Mais non : j'aurais préféré mourir plutôt que de recourir à cette sortie, dussé-je coûter trois francs cinquante, c'était le prix de mon intégration sociale. Plus que tout, je redoutais la marginalisation. Intuitivement je pressentais que si je lâchais sur cette bataille-là, c'était fichu, le reste de ma vie se résumerait à rester à l'extérieur du groupe. Alors, niant l'idée même du concept d'orgueil, j'attendais patiemment que l'un des deux bords finisse par céder et me levais pour le rejoindre, tête baissée, et l'autre camp criait des hourras de victoire comme si le match venait de se gagner ici et maintenant et qu'il était presque superflu de le disputer sur le terrain. Voilà ce qui émane de toi aussi, Ludo : un parfum de négociation inversée. Alors, non, tu vois, là, à cet instant précis, savoir ce qu'est le taxon Lazare ne constitue pas une des grandes priorités de ma vie, mais dis toujours, je t'écouterai, ou ferai comme si, solidarité de collés au bitume. On est du même camp, Ludo, alors pourquoi tu me fais ça ? Pourquoi un discours ? Et pourquoi me demander ça aujourd'hui, le jour du gouffre de 17 h 56 ?

Et toi Adrien, le travail, ça se passe bien ? Nous y voilà. Il arrive toujours ce moment où débarque cette question, comme un chapitre incontournable, quoique plutôt bref en règle générale. Et chaque repas de famille me paraît être l'exacte copie du précédent. Il faudra un jour que je me décide à établir une topologie exacte et minutée de nos repas de famille et je suis persuadé que les mêmes sujets, les mêmes répliques tomberaient au même moment, à la seconde près, comme dans ce film, *Un jour sans fin*, où le personnage revit sans cesse la même journée. Un repas sans fin. Suis-je le seul à revivre en boucle le même repas quand les autres autour de moi le redécouvrent chaque fois comme si c'était la première ? Il semblerait que oui, tout concourt à le démontrer, sinon pourquoi Adrien, tu aimes les poivrons ? Sinon pourquoi le permafrost ? Sinon pourquoi J'ai mis un peu trop de muscade, non ? Mais non maman, c'est parfait, il y en a juste ce qu'il faut. Je suis tombé dans une faille spatio-temporelle, bloqué à table avec mes parents, ma sœur et mon beau-frère, pour l'éternité, à redire les mêmes phrases, à reproduire les mêmes gestes, et si je veux en sortir, je dois enrayer le système, je dois introduire une phrase qu'on ne prononce jamais, qui ne fait pas partie du cycle, créer de toutes pièces une nouvelle réplique, je dois faire comme Marty McFly qui, dans *Retour vers le futur*, empêche, sans le vouloir, ses parents de se rencontrer et qui change le futur – le présent. Voilà, il faut que j'empêche ce repas de se perpétuer pour l'éternité, il faut que je bouscule le continuum espace-temps, que j'infléchisse la courbe, que je nous emmène tous les cinq dans un autre présent, tonnerre de Zeus. Papa, maman, Sophie, Ludo, en fait je vous ai toujours menti, en réalité je suis astronaute, je suis archéologue, je deale de l'héroïne, je suis champion du monde de curling, j'écris des romans érotiques sous pseudonyme, je confectionne des mots fléchés pour des magazines télé, et comme dans *Retour vers le futur*, le gratin dauphinois s'effacera de la photo et sera remplacé par, que sais-je, des frites, maman, pourquoi jamais des frites ? Mais je réponds que oui, ça se passe bien mon travail. Et perpétue la malédiction du repas sans fin. Et ma mère est rassurée que mon travail se passe bien, elle n'a pas besoin d'en savoir plus, ça et un prénom féminin de temps à autre et l'espérance de vie d'une mère se voit prolongée en moyenne de six mois par repas. Et peut-être ai-je moi aussi, même s'il m'en coûte de l'admettre, besoin de ces repères en ce moment, comme autant de balises rassurantes et douillettes. Peut-être ai-je plus que jamais besoin de ce repas sans surprise que tous découvrent – sinon pourquoi cette toile cirée que j'ai l'impression d'avoir toujours vue ici et qui a probablement connu tous les permafrosts de l'histoire de la Terre, spectatrice stoïque, inaltérable, indestructible ? Ces fleurs jaunes existent-elles dans la vraie vie ? Les a-t-on déjà vues ailleurs que sur des toiles cirées ?

On ne s'est jamais vus tous les cinq ailleurs qu'ici, chez mes parents. Une seule et unique fois nous avons fait une entorse au rituel pour nous retrouver chez Sophie et Ludo, ils venaient d'emménager et nous avaient invités à découvrir leur petit nid, ils semblaient y tenir. À l'époque j'étais censé venir avec Eva, c'était le prénom alors en cours, mais Eva n'avait pu venir pour d'obscures raisons de maison familiale à vider à la suite du décès de sa grand-mère – j'avais remarqué que les alibis comprenant un décès étaient plus efficaces – et ma mère avait pris un air d'une insondable tristesse, m'avait posé la main sur l'épaule et avait murmuré *Ah là là*, comme si la grand-mère de cette Eva avait été sa meilleure amie d'enfance. De manière générale, n'importe quel décès affecte ma mère au-delà du raisonnable, chacun lui fait baisser les yeux et murmurer *Ah là là*. Je ne sais pas si la mort ouvre les portes du paradis mais elle a le mérite de faire accéder au statut d'ami d'enfance de ma mère. J'étais passé chercher mes parents pour que nous nous y rendions ensemble et, quand j'étais arrivé chez eux, ils m'attendaient, assis, sans bouger, comme s'ils étaient prêts depuis quatorze heures et n'osaient faire le moindre mouvement de peur de froisser leurs vêtements. Car, oui, c'est la première chose qui m'avait frappé dès que j'étais entré dans le salon : ils s'étaient *habillés*. *Apprêtés*. Comme s'ils se rendaient à une soirée de gala, un vin d'honneur, quoi que ce fût qui eût pour cadre un lieu à plafonds hauts et lustres en cristal. À les regarder, engoncés dans leurs vêtements, à aucun moment on n'aurait pu penser qu'ils allaient simplement dîner chez leur fille. C'était d'autant plus manifeste chez mon père qui est toujours habillé de la même façon (pantalon de toile bleu foncé, chemise bleu ciel, et pull en laine brun à motifs vert kaki pour les jours plus frais), et je repense à un épisode d'*Inspecteur Gadget* que je regardais, enfant, quand l'inspecteur ouvrait sa garde-robe contenant une dizaine d'imperméables absolument identiques. Voir mon père dans ces nouveaux vêtements provoquait une sorte d'apnée, comme si la gêne était communicative, et je mourais d'envie de lui dire Papa, s'il te plaît, enlève tout ça, remets immédiatement ton pantalon de toile bleu foncé et ta chemise bleu ciel, je ne me sens pas très bien. J'étais comme un spectateur devant ces films de science-fiction où l'astronaute ne dispose plus que de quelques minutes d'oxygène pour réparer l'avarie du réacteur, dépêche-toi, tu n'en as plus pour très longtemps, pose vite ce pantalon, je t'en supplie, souviens-toi de Laïka !

Sur le trajet, ma mère, assise à l'arrière, m'avait demandé de rouler moins vite parce qu'elle avait un peu le mal de mer, et j'avais repensé au vomi sur l'auto-stoppeur, et cette inversion des rôles m'était apparue comme un symbole d'une tristesse infinie, une preuve tangible de plus que j'étais entré dans la seconde moitié de ma vie qui consiste à faire pour eux ce qu'ils avaient fait pour moi dans la première moitié : m'inquiéter, les chérir, les épargner, les protéger, rouler moins vite pour éviter qu'ils ne vomissent. Quand nous étions arrivés chez ma sœur, la première chose qui avait attiré mon attention était, dans le coin droit du salon, trônant comme un roi repu, un large écran plat. Mais pas un large écran plat qui diffuserait en fond des clips de quelque chaîne musicale ou des infos en continu, non, l'écran affichait une image de feu de cheminée, un feu de cheminée crépitant. Je ne comprenais pas. J'avais fixé l'écran quelques secondes, espérant qu'il s'agissait d'un passage de film ou de série télé, la caméra allait probablement revenir d'un instant à l'autre sur le visage en gros plan de Cynthia ou Brandon, déformé par l'inquiétude, cette histoire de dépôt de bilan les perturbait beaucoup, mais non, l'écran affichait bel et bien ce qui semblait se substituer à un feu de cheminée. Mon premier réflexe avait été de faire une blague pour désamorcer la situation et évacuer définitivement le sujet (*Vous voulez que j'ajoute une bûche ?* Oui alors bien sûr, ce n'était pas de l'humour de haute voltige, mais pour désamorcer une situation gênante, il faut du trivial, du basique, il faut ratisser large, que personne ne se sente exclu, chacun doit être en mesure d'évacuer individuellement la tension latente), mais mon instinct m'avait dicté que faire une blague sur le faux feu de cheminée ne serait pas particulièrement bienvenu. Nous baignions bel et bien dans un premier degré jusqu'au cou et peut-être, à l'instar de l'eau de mer qui est fraîche quand on y entre mais bonne une fois qu'on y est, finirais-je par m'y habituer et trouver le premier degré à température, sinon idéale, du moins tout à fait acceptable – aidé pour ce faire par un feu de cheminée crépitant. J'avais tenté malgré tout un coup d'œil vers mes parents pour jauger leur avis sur la question, mais non, personne ne paraissait vouloir faire une remarque sur un écran avec un feu de cheminée. Soit tout le monde trouvait ça normal, soit nous n'étions au fond pas assez proches pour nous permettre de nous envoyer de petites flèches inoffensives, et je ne savais, de ces deux hypothèses, laquelle me déprimait le plus. Cette image de feu de cheminée était probablement censée instaurer un climat douillet et chaleureux mais ne suscitait chez moi qu'une angoisse à la limite de la spasmophilie. Entre les vêtements de mon père et l'image du feu, tout concourait à m'étouffer et à m'oppresser. Je suis persuadé qu'il existe un mot pour désigner la phobie des faux feux de cheminée, ayant découvert il y a quelques jours la kéraunothnétophobie qui désigne la peur de la chute des satellites. Ma phobie doit bien être répertoriée quelque part, ou alors c'est totalement injuste, la probabilité de se trouver face à un feu de cheminée virtuel est quand même bien supérieure à celle d'un satellite qui tombe du ciel.

Il faut que je fume, je ne tiendrai jamais tout le repas. Je palpe nerveusement le briquet au fond de ma poche et tombe sur la coquille de noix que, depuis trente-huit jours, je transvase comme un gri-gri de poche de pantalon en poche de pantalon. Cette coquille de noix, symbole de notre histoire, que tu m'avais offerte, enveloppée dans du papier cadeau rouge un peu moche, parce qu'on se répétait souvent qu'on était deux naufragés coupés de tout, voguant au milieu de l'océan dans une coquille de noix, et tant pis les remous, tant pis les tempêtes, tant pis la houle, sur notre coquille rien ne pouvait nous arriver, frêle esquif rudimentaire, fragile, précaire, mais on y était bien, protégés, seuls au monde, et rien en dehors de cette coquille n'avait de raison d'être, et cette coquille au fond de ma poche est probablement le cadeau le plus émouvant qu'on m'ait jamais fait. Si l'on devait établir un classement des cadeaux de ma vie, il en serait le zénith, tandis qu'à l'autre extrémité du spectre se situeraient les encyclopédies de ma sœur. (Tiens, l'encyclopédie *Fruits secs et oléagineux*, Sophie, maintenant que j'y pense, tu n'y as jamais songé ? Tu notes ?) On s'en disait de belles choses, Sonia, hein ? Où va le beau quand il n'est plus ? Lavoisier, toi qui sais tout, en quoi se transforme le beau s'il ne disparaît pas ? En dioxygène ? En sulfate d'ammonium ? En méthane qui perce la couche d'ozone ? Au début, il s'en trouvait partout, du beau, dans notre quotidien. Comme cette tirade de Musset que tu aimais tant me réciter, le soir, à l'apéritif, en préparant le repas, ton verre de rosé à la main, et chaque fois j'étais aussi ému qu'épaté que l'on puisse connaître par cœur un texte aussi long, ma mémoire étant plutôt défaillante. Voici ce que j'aurais dû t'écrire dans mon message au lieu de ce bancal *Coucou Sonia, j'espère que tu vas bien, bisous !* Au lieu de ce *Comment tu vas ?* Voici ce que j'aurais dû t'écrire : *J'ai souffert souvent, je me suis trompé quelquefois, mais j'ai aimé. C'est moi qui ai vécu, et non pas un être factice créé par mon orgueil et mon ennui.* Parce que c'est la seule partie que j'aie jamais réussi à retenir de ta longue et belle tirade. Et parce que c'était ton passage favori. Et parce que, m'avais-tu expliqué, cette partie est un passage que

George Sand avait réellement écrit à Alfred de Musset et il l'avait reproduit tel quel dans son texte, comme un merveilleux hommage à sa bien-aimée. Ludo, tu dois savoir ça, toi : où va le beau quand il n'est plus ? Réfléchis un peu, il doit bien exister un lieu unique où va le beau, quelque part dans l'espace, un trou noir, une dimension parallèle, il doit bien exister un cimetière du beau où, à l'instar des vieux éléphants, il se rend quand il sent sa dernière heure arriver. À moins qu'il ne reste parmi nous, comme le font les fantômes des âmes défuntes.

Quand j'avais sept ans, une de nos petites camarades, Lætitia, est morte après avoir mangé des champignons qu'elle avait trouvés lors d'une balade dominicale en forêt avec ses parents. Le mercredi suivant, au catéchisme, madame Bonnefoy, une dame à l'allure vestimentaire stricte, cheveux noirs tirés en chignon et lunettes rectangulaires, nous avait distribué à chacun une feuille blanche sur laquelle était seulement inscrite la phrase *Au bout du chemin, la lumière,* phrase que nous devions illustrer à l'aide de jolis dessins tout autour, en hommage à Lætitia. Et tout en distribuant les feuilles, elle nous avait dit *Lætitia est ici, parmi nous, elle vous regarde dessiner.* Cette précision qu'elle avait lâchée de manière presque anecdotique nous avait tous tétanisés.

Nous nous étions mis à lancer des regards apeurés autour de nous, sentant la présence de Lætitia au-dessus de notre épaule, une Lætitia de film d'épouvante, translucide, entourée d'un halo phosphorescent, vêtue d'une seule chemise de nuit blanche à dentelles. Nous nous étions plongés dans notre exercice et la majorité d'entre nous, sans même nous concerter, dans une volonté sincère d'hommage vibrant et poétique, avaient tout naturellement dessiné des petits champignons autour de la phrase. Madame Bonnefoy avait pris son air le plus contrit et nous avait demandé de recommencer, mais sans champignons.

Au bout du chemin, la lumière. Voilà le mantra que je devrais me répéter, la voilà la vraie phrase d'espoir et d'amour infini, prends-en de la graine, Musset. Qu'est devenue madame Bonnefoy? Elle est probablement morte, depuis le temps. Donc parmi nous, avec la beauté, avec Lætitia, avec le gigot, avec la bite en contreplaqué. Et je caresse encore et encore la coquille de noix, réplique exacte de celle qui nous abritait et a fait naufrage, et moi en chaussettes au premier plan, encore et toujours.

Un samedi après-midi, elle m'avait emmené au parc, jusqu'à ce grand arbre, tout au fond. Il s'agit d'un arbre à vœux, m'avait-elle expliqué, tu vois, les gens écrivent leur vœu sur un petit morceau de papier et le glissent dans un de ses innombrables replis noueux. Elle adorait venir ici pour se recueillir, laisser divaguer ses pensées et faire quelque chose qui ne se fait pas, m'avait-elle dit avec son air malicieux : elle dépliait des petits papiers, les lisait et essayait d'imaginer le profil de celui ou de celle qui pouvait en être à l'origine, avant de les remettre à leur place. Et j'avais pris un air faussement outré, assénant que c'était parfaitement immoral, que des gens avaient placé ça là dans une intimité qu'il fallait respecter. Elle m'avait fait taire, en avait déplié quelques-uns et me les avait lus. *Ensorcelle-toi comme tu m'as ensorcelée* ou *José et*

moi pour la vie ou *Ne m'oublie jamais mon Titou,*
ou de moins beaux comme *Hugues, je veux te
manquer, je veux que tu en chies grave,* et je
devais admettre que la sensation d'interdit à
l'idée de pénétrer dans les minuscules secrets
d'inconnus n'était pas pour me déplaire. *On
va faire un jeu, on va chacun déplier un papier,
un seul, on va le lire à l'autre, et ce qu'on lui lira
sera ce que l'on souhaite pour nous deux,
d'accord ?* J'avais rechigné quelques secondes,
arguant qu'on volait le vœu d'un autre et que
ce n'était pas très honnête, je surjouais le
trouble-fête pétri de morale pour attiser plus
encore son envie de jouer, alors qu'au fond
j'adorais l'idée. Sonia avait déplié son papier
la première et l'avait lu. *Regarde-moi toute ta
vie comme tu m'as regardée hier soir.* Et un
silence avait suivi, un silence durant lequel
nous avions échangé un long regard chargé de
mille choses non formulées. *À toi.* J'avais
déplié le mien et en avais découvert le contenu
avec effroi. *Je voudrai que Solène se laisse enculé.*
J'étais tétanisé. Sonia attendait que je lise mon
papier, un sourire innocent collé aux lèvres, et
je ne pouvais décemment pas lire ça, pas à ce
stade de notre relation, pas à l'entrée de cette
parenthèse enchantée où tout est si scintillant,
merveilleux, féerique. Quelques mois plus
tard, ce serait le genre de situation dont on

pourrait rire sans la moindre gêne, mais à cet instant précis, une semaine tout juste après notre rencontre, il était hors de question que j'oralise une phrase comme *Je voudrai que Solène se laisse enculé*, c'était impensable. Comme elle attendait, pendue à mes lèvres, piaillant des *alors alors ?* impatients, j'avais improvisé un *Je voudrais emmener Solène à Rome*, auquel elle avait répondu *Oooh… Oui !!* et si elle avait su à quoi réellement elle venait de répondre *Oooh… Oui !!…* J'avais profité d'une seconde d'inattention pour glisser discrètement le mot dans ma poche afin que Sonia n'ait pas la tentation de le lire, conscient que, par mon geste, un type se heurterait dans les jours à venir au refus net et catégorique d'une Solène intraitable. À quel moment en vient-on à prendre cette décision, *Bon, Solène ne veut pas que je la sodomise, il ne me reste plus qu'à aller glisser un petit papier dans l'arbre à vœux ?* Le type aurait mille vœux à formuler, que le conflit israélo-palestinien prenne fin, sauver la planète de l'inexorable, endiguer la disparition dramatique des espèces (Sais-tu, arbre à vœux, qu'un éléphant disparaît toutes les vingt minutes, victime de la valeur de son ivoire ?). À quel moment la priorité d'une vie devient-elle *Je voudrai que Solène se laisse enculé* ? Et je m'étais pris moi aussi à essayer

145

d'imaginer le profil de celui qui avait pu laisser un mot pareil, un grand type maigre, en survêtement blanc et une sorte de petite sacoche en bandoulière, des baskets rutilantes, avec un bouc et un portable dernier cri. *Je voudrais emmener Solène à Rome.* Pourquoi Rome ? Aucune idée. Depuis cet épisode, j'avais toujours secrètement espéré ne jamais aller à Rome avec Sonia, il y aurait eu un tel décalage de sous-texte que j'en aurais été mal à l'aise tout le temps du séjour. Pour elle, nous serions là grâce à un joli vœu griffonné sur un morceau de papier quand je n'y aurais vu, moi, que l'ombre d'une sodomie perdue. Pire : je crois que Rome restera à jamais associé à ce mot. Le Colisée, sodomie, la basilique Saint-Pierre, sodomie, la fontaine de Trevi, sodomie, Marceeeeello, sodomie.

La semaine dernière, je suis allé au parc et me suis assis un long moment au pied de l'arbre à vœux. Je m'étais interdit d'y retourner, comme je m'étais interdit de retourner sur tous les lieux symboliques de notre histoire. Mais il s'est trouvé que je passais devant et n'ai pas pu résister. Je suis resté là un long moment à côté de l'arbre, à le contempler en silence. Je n'ai déplié aucun mot, je ne voulais pas voler les gestes de Sonia. Au bout d'une vingtaine de minutes de méditation, j'ai sorti de mon sac un morceau de papier sur lequel j'ai écrit *Sonia, on ne regarde pas les mots, ça ne se fait pas*, et l'ai déposé dans l'arbre, avec le fol espoir qu'elle revienne ici, déplie des morceaux de papier et tombe sur celui-là. Les jours suivants, je guettais mon portable dans l'attente d'un *Promis, je ne le ferai plus*.

Chez moi, il y a un tiroir que j'appelle *Mon petit musée Sonia*. Il s'y trouve un tas de minuscules reliques de notre année d'amour. Régulièrement, alors que nous étions ensemble, je glissais en cachette dans ma poche des traces d'instant présent, un emballage du chewing-gum qu'elle était en train de mâcher, un prospectus qu'on nous avait distribué dans la rue, des broutilles de toutes sortes, des déchets tous plus insignifiants les uns que les autres, mais dont chacun renferme une signification bien précise, témoins d'un moment de vie, d'un moment de nous. Et donc, au milieu de tout ça se trouve un petit morceau de papier sur lequel est inscrit *Je voudrai que Solène se laisse enculé*. Je me dis souvent que si je mourais brutalement, mes parents, ma sœur et mon beau-frère viendraient vider mon appartement et tomberaient fatalement sur ce petit papier. Qu'est-ce qui traverserait leur esprit à cet instant précis ? Est-ce que celui qui le découvrirait le montrerait aux trois autres ou bien le glisserait-il discrètement dans sa poche pour essayer de sauvegarder une image de moi, si ce n'est héroïque, tout du moins dénuée de vœux tordus ? Il faudrait toujours entretenir son lieu de vie comme si on allait mourir le jour même, afin que notre départ soit digne. Effacer son historique Internet de visites douteuses, nettoyer les rebords de la cuvette des toilettes, laisser traîner sur la table basse un recueil de Paul Éluard, si possible ouvert à une page dont une phrase soulignée au crayon pourrait servir d'épitaphe – *Vivre d'erreurs et de parfums*. À sa manière, ma mère est animée d'une phobie assez similaire et tout aussi tordue : elle tient toujours à faire le ménage de fond en comble quand elle et mon père s'absentent pour quelques jours, voire seulement quelques heures, au cas où un cambrioleur entrerait par effraction en leur absence et trouverait la maison en désordre. Elle dit que ça ne se fait pas, qu'elle en mourrait de honte.

Pour autant, je ne peux me résoudre à jeter ce petit morceau de papier, il est trop important dans notre histoire. Les mamans conseillent à leurs enfants d'avoir toujours une culotte propre en cas d'accident, au cas où on les déshabillerait, plus rares sont celles qui leur conseillent de ne jamais laisser traîner des vœux de sodomie.

Bonsoir à tous... Je ne vais pas faire long, ne vous inquiétez pas... En fait, comme je n'ai absolument rien préparé parce que ma motivation était, avouons-le, mitigée, et étant donné que je suis censé faire un discours sur quelque chose qui me tient à cœur, j'ai décidé de vous énumérer le contenu de mon petit musée Sonia. Pas tout, n'ayez crainte, seulement quelques éléments, je sais que vous avez faim et que le discours est un moment très pénible pour tout le monde. Alors. Une photo d'elle à sept ans, elle est sagement assise sur un canapé et fixe l'objectif d'un air un peu triste. Une lingette démaquillante avec des traces rouges. Un emballage de barre chocolatée, vestige d'un de ses goûters. Une capsule de 1664. Une vingtaine de cadavres exquis que nous avions faits en attendant le train pour Marseille, je ne résiste pas au plaisir de vous en lire un au hasard. *Hier soir sur la dune, la jeune fille se fâcha contre ses rêves incandescents.* C'est beau non ? Une mèche de cheveux dans un petit sachet de plastique transparent. Des lettres, beaucoup de lettres, Sonia et moi adorions nous écrire des lettres, même si déchiffrer son écriture était chaque fois un calvaire. Un ticket de tram. L'antisèche de discussion de notre premier rendez-vous, avec les titres des livres qu'elle m'avait conseillés. Un ticket de caisse de la FNAC – *Les plus grands tubes de Claude Barzotti.* Un morceau de papier sur lequel elle avait griffonné SONIADRIEN et qu'elle m'avait fait passer discrètement sous la table pendant un repas ennuyeux. Le bouchon d'une bouteille de champagne que nous avions bue dans un parc dans des gobelets en plastique, sur le banc nous avions écrit S + A = AESD au stylo. Je vous souhaite une bonne soirée.

Maintes fois, j'ai eu la tentation d'écrire à Laure, sa meilleure amie, pour avoir des nouvelles de Sonia, un simple message, l'air de rien, détaché, comme on prend des nouvelles d'un vieil ami. *Comment va Sonia ?* Simplement ça. Mais ce serait la pire chose à faire, non seulement je n'aurais pas de nouvelles, pas d'authentiques en tout cas, car passées au crible de la validation de Sonia elle-même, mais en plus je perdrais en quelques mots le bénéfice de jours entiers d'absence mystérieuse.

Le jour où Sonia nous avait présentés, Laure et moi, nous nous étions approchés pour nous faire la bise et, je ne sais pas pourquoi, il y avait eu un cafouillage de sens, joue gauche joue droite oui non oups non pardon c'est moi non c'est moi, et je lui avais malencontreusement fait une bise sur le nez. Et au lieu de rire de cette situation ridicule, nous nous étions contentés d'un silence un peu gêné, et durant toute l'heure qui avait suivi, à cette terrasse de café, alors que Sonia essayait de créer une sorte de lien entre son amoureux et sa meilleure amie (*Je suis sûre que vous allez vous entendre à merveille*, m'avait-elle dit tandis que j'appréhendais un peu la confrontation de ses deux univers distincts, et c'est un peu comme ces gens qui disent *Attendez j'ai une super blague, vous allez bien rire*, et généralement on ne rit pas, justement parce que l'attente du rire congestionne subitement tout autour), et alors qu'elle se démenait pour imbriquer ces deux ensembles disjoints, j'étais resté figé, engoncé, incapable de penser à autre chose qu'à cette bise sur le nez, et Laure avait dû me prendre pour un type horriblement coincé.

Et tout à coup, cette concordance de faits m'apparaît très troublante : à sa meilleure amie, Laure, j'ai fait une bise sur le nez, et à son autre meilleure amie, Karine, c'est une griffe de Wolverine que j'ai enfoncée dans le nez. Je m'étonne que cette coïncidence ne m'ait jamais sauté aux yeux jusqu'à aujourd'hui : j'ai eu un problème de nez avec les deux meilleures amies de Sonia. Il y a sans aucun doute un sens caché à ça, une sorte d'explication lacanienne – craignais-je qu'elles ne *sentent* que je n'étais pas le bon ? Que notre amour était *mort nez* ? Par chance, Sonia n'a que deux amies très proches. Une troisième aurait probablement terminé aux urgences pour une fracture du nez à la suite d'un coup de coude que je lui aurais donné par mégarde en commandant un café.

J'étais vaguement jaloux de la relation entre Laure et Sonia. Je savais qu'elles se racontaient absolument tout de leurs vies intimes comme deux adolescentes un peu chipies, à tel point que j'en nourrissais une sorte de paranoïa. Quand je croisais Laure, la moindre de ses remarques, aussi anodine fût-elle, donnait lieu aux interprétations les plus délirantes, et tout devenait sous-texte, conjectures, extrapolations, suspicion. Chaque fois qu'elle s'adressait à moi, je ne pouvais mentalement réprimer un *Pourquoi dit-elle ça ? Pourquoi me demande-t-elle si je vais bien ? Sonia lui aurait-elle parlé de quelque chose ?*

Et voilà qu'à nouveau en manque, l'envie d'écrire à Laure me reprend. Mais puis-je encore me lever pour aller aux toilettes ? Quelles conclusions vont-ils en tirer ? Quelle va être la théorie de Ludo ? *Tu devrais surveiller ta prostate, Adrien... Tiens, à ce propos, savais-tu que le finastéride, molécule à l'origine utilisée dans le traitement du cancer de la prostate, s'est avéré*

par le plus grand des hasards très efficace contre la
chute des cheveux chez les hommes ? Cocasse, non ?
Non, si je dois me lever une autre fois, ce sera
pour aller fumer une cigarette en cachette, hors
de question que je grille mon quota d'absences
de table en messages stériles qui n'aboutiraient
de toute façon à rien d'autre qu'à dévoiler ma
détresse par personne interposée, donc une
détresse plus pitoyable encore. En attendant, je
me contente de caresser la coquille de noix.

Attends, tu connais pas le dernier coup de Bérengère ?
Et c'est parti pour le chapitre Bérengère, et là il
est question d'un planning de vacances qu'elle
aurait retouché, prétextant avoir fait une erreur
d'inattention mais, selon ma sœur, erreur d'inattention tu parles, ça va pas se passer comme ça,
je peux te dire que son *erreur* (elle mime les
guillemets avec ses doigts) elle va la sentir passer, et ma mère lui répond *Tu as raison, ne te
laisse pas faire*, elle lui répond systématiquement
ça, *Tu as raison, ne te laisse pas faire*, à se demander si elle l'écoute vraiment. Ouais, maman a
raison, vas-y Sophie, te laisse pas faire, rentre-lui
dedans, offre-lui une encyclopédie ! Et pendant
que Bérengère a fait je ne sais quoi d'autre la
semaine dernière, je passe machinalement mon
pouce sur mes lèvres, même si tu n'es plus là
pour le voir, Sonia, je continue de le faire, partout où je vais, partout où tu n'es plus et que

l'ennui me gagne, comme un lien invisible tendu entre nous, comme ces veuves qui continuent de parler à leur mari en faisant le ménage, parce qu'il n'y avait qu'à lui qu'elles racontaient tout ça, ces petits riens sans importance. Chaque fois que l'on se retrouvait en groupe et que la discussion nous ennuyait, Sonia et moi avions établi un code pour nous le signifier : nous passions discrètement notre pouce sur nos lèvres comme Belmondo dans *À bout de souffle*, sans même nous regarder, et ce signe signifiait littéralement *Je me fais chier, j'ai hâte qu'on se retrouve juste tous les deux*. Je me souviens parfaitement de l'origine de ce code. Un après-midi nous avions décidé de partager nos deux films cultes respectifs, *Il était une fois en Amérique*, le mien, suivi aussitôt d'*À bout de souffle*, le sien, emmitouflés sous une couette. Le lendemain, nous étions invités à une raclette, nous étions une dizaine à table, le repas traînait en longueur, Sonia était face à moi, et je voyais à son air absent et à ses verres de vin qui se vidaient qu'elle s'ennuyait à mourir. Et je m'étais mis à imiter le geste de Belmondo, le pouce sur les lèvres, comme ça, sans raison, alors que nos regards s'étaient croisés. Elle avait éclaté de rire au beau milieu d'une discussion sur la droitisation du pays ou quelque chose dans le genre et tout le monde l'avait regardée comme on regarde un rat dans une portée de chatons. Nous avions aussitôt adopté ce code. Ce signe que Jean Seberg fait dans la toute dernière scène quand Belmondo s'éteint, étendu sur le bitume. Sonia était fascinée par Jean Seberg, au point d'avoir eu longtemps comme elle les cheveux très courts. Sur les photos datant de cette époque, la ressemblance est assez troublante. Elle était absolument fascinée par son histoire d'amour avec Romain Gary et plus encore par son étrange disparition, trois grammes d'alcool dans le sang, étendue sur la banquette d'une Renault 5, cette fin la bouleversait et l'intriguait beaucoup, comment une icône peut-elle terminer ainsi ? Il s'en passe des choses sur les banquettes de Renault 5, encore que vomir sur un auto-stoppeur soit nettement moins romanesque – et moins tragique.

Dans *Il était une fois en Amérique*, le jeune Noodles et ses camarades proposent aux contrebandiers une technique pour que leur marchandise échappe à la surveillance des gardes-côtes : amarrer une bouée aux caisses de whisky et lester le tout au fond de l'eau à l'aide de sacs remplis de sel. Lorsque le sel est dissous, les caisses remontent à la surface. Et cette image m'apparaît soudain comme une métaphore du couple : quand il n'y a plus de sel, tout remonte à la surface, et je ne sais pas pourquoi cette image s'impose à moi au moment où c'est dégueulasse, Bérengère a posé un mercredi après-midi alors qu'elle n'a même pas d'enfants, juste pour faire chier son monde, et je ne saisis pas bien dans la formulation de ma sœur si c'est poser un mercredi après-midi ou ne pas avoir d'enfants qui est dégueulasse et qui est censé faire chier son monde, mais je m'abstiens de poser la question parce que je m'en fous et que la seule chose qui fait chier mon monde à moi c'est la subite métaphore du sel dissous. En même temps, absolument tout ces derniers temps m'apparaît comme une métaphore du couple. Je suis sûr qu'en faisant un petit effort d'imagination les tranches de pommes de terre empilées du gratin dauphinois pourraient très bien m'évoquer l'inéluctable délitement de la passion amoureuse.

Mon père se coupe un morceau de pain et le repose distraitement à l'envers sur la table. Ma mère le remet à l'endroit d'un geste sec, le gratifiant d'un regard accusateur. Et je suis soulagé qu'elle l'ait vu et l'ait remis à l'endroit et je m'en veux d'être soulagé. J'ai hérité d'elle une superstition tenace dont j'essaie de me défendre mais contre laquelle je ne peux rien, comme un diabète ou un anévrisme sur l'aorte, on ne choisit pas notre héritage. Moi aussi je remets le pain à l'endroit, moi aussi j'évite de passer sous les échelles, moi aussi je touche du bois et me demande, inquiet, s'il s'agit bien de bois et si, le cas échéant, ça marche aussi avec de l'aggloméré, moi aussi j'évite de croiser des 13 sur le cadran numé-rique d'un radio-réveil, moi non plus je n'ouvre jamais un parapluie à l'intérieur, et je me pince quand je vois une 2 CV verte – bien que ce rituel-là ne me vienne pas de ma mère, et je serais bien incapable d'en définir l'origine, mais je m'y plie malgré tout comme si ma vie en dépendait. Tout ça t'amusait beaucoup, Sonia, tu te souviens ? Et tu en jouais, tu adorais ça, poser le pain à l'envers sur la table, pour m'inciter à le remettre à l'endroit. Et tu trouvais ça poétique, c'est le mot que tu employais, *poétique*, parce que nous avons traversé cette période enchantée où les failles sont toutes poétiques, magnifiées, et savais-tu, Sonia, que Michel-Ange a repeint le plafond de la chapelle Sixtine pour masquer les fissures qui étaient apparues après que le sol eut bougé à la suite de l'édification de la basilique Saint-Pierre de Rome juste à côté ? C'est le pape Jules II qui lui a passé cette commande, mais la peinture seule était bien en peine de cacher les dégâts, alors Michel-Ange, au lieu de tenter de dissimuler les failles, s'en est servi, a épousé les lignes pour en faire des crêtes de nuages, des contours, des lignes magnifiques, voilà, Sonia, à cette époque nous étions des Michel-Ange l'un pour l'autre, transformant nos failles en quelque chose de beau et poétique et lumineux, créant des crêtes à l'endroit de nos fêlures. Et un jour les failles ne sont plus que des failles, un jour ça ne t'a plus amusée que je remette le pain à l'endroit alors que tu l'avais posé à l'envers par mégarde, un jour ce geste t'a irritée, et le pain à l'endroit a rejoint mes infarctus et mes névroses dans le local à poubelles. Et je ne peux m'empêcher de penser, on ne se refait pas, que c'est cette accumulation de pains à l'envers qui nous a porté la poisse, c'est idiot hein? Oui c'est idiot, tu peux le dire. Voilà ce que ma mère m'aura laissé en héritage : l'intime conviction que le *J'ai besoin d'une pause* est dû en partie à un jeu de pain à l'envers, une provocation divine. À quel moment s'est opéré le glissement de terrain, Sonia? À quel moment a-t-on construit une basilique Saint-Pierre à l'origine du tsunami qui a fait chavirer notre coquille de noix? Au passage, je suis infiniment reconnaissant à Ludo de ne pas nous gratifier de son laïus sur l'origine de cette croyance, son histoire de pain à l'envers réservé au bourreau du Moyen Âge, peut-être lui aussi cherche-t-il à briser le continuum espace-temps, peut-être lui aussi est-il dans une proposition de nouveau présent, et nous ne serons pas trop de deux pour briser la malédiction.

Mamaaaan tu peux arrêter avec ça? Ma sœur, elle, ne manque jamais une occasion de reprendre ma mère sur ses petites croyances, ayant hérité d'on ne sait trop qui d'une inébranlable rationalité et d'un pragmatisme à toute épreuve. *Et toi avec tes encyclopédies ?* C'est la réponse qui me traverse, complètement hors sujet, hors de propos, pas pertinente pour deux sous, comme tout ce qui me traverse depuis 17 h 56. Si l'on avait demandé à ma sœur de faire quelque chose pour le plafond de la chapelle Sixtine, elle aurait fait venir une entreprise de maçonnerie, un bon coup de mastic gris là-dessus et hop, l'affaire est pliée. Chapelle Sixtine, sodomie.

Bonsoir à tous… Je ne vais pas faire long, ne vous inquiétez pas… C'est un grand honneur qui m'est donné ce soir que de faire un discours pour le mariage de ma petite sœur… Et ce jour de fête remue beaucoup de choses… Et je ne sais pas pourquoi, un souvenir précis me revient… Elle devait avoir douze ans, un jour que j'entrai sans raison particulière dans sa chambre en son absence, comme ça m'arrivait parfois (je revois encore sa petite collection d'échantillons de parfum et son poster des New Kids on the Block), ce jour-là donc j'étais tombé sur son journal intime… Je ne voulais pas l'ouvrir, je ne voulais surtout pas violer son intimité, mais, cédant à la tentation, je m'étais promis d'ouvrir au hasard, de ne lire qu'une seule phrase et de le refermer aussitôt… Sauf que la première phrase sur laquelle je tombai m'intrigua, il était écrit :

Benjamin : B-8, I-4, L-7. Je ne pouvais pas en rester là, il fallait que je découvre le sens de ce code mystérieux. Je parcourus alors le journal à rebours, croisant à plusieurs reprises ce type d'annotations (*Rémi : B-5, I-8, L-3,* ou bien *Damien : B-9, I-7, L-8*), avant de tomber sur la pierre de Rosette : *Mercredi 27 novembre. Aujourd'hui Pascal m'a regardée et il est devenu tout rouge. En beauté, je lui mettrais 7/10, en intelligence je lui mettrais 6/10 et en look je lui mettrais 8/10.* Voilà. Tout était parti de là. Elle notait les garçons de son entourage selon trois critères essentiels : Beauté, Intelligence, Look. Par exemple, si je devaisnoter Ludovic ici présent, je dirais Ludovic : B-3, I-9, L-1,5, mais je ne sais pas si on a droit aux nombres décimaux... Et en y repensant aujourd'hui avec vous, je trouve cette idée formidable, l'humanité entière devrait être classée selon le barème BIL. De la même manière que la position d'un objet dans l'espace est définie par ses coordonnées tridimensionnelles, xyz, chaque personne devrait être définie par ses coordonnées BIL, et deux êtres ne pourraient vivre un parfait amour que si leurs coordonnées sont semblables, et l'analogie avec les coordonnées du point dans l'espace prend tout son sens : les deux personnes seraient alors au même endroit, elles se *rencontreraient,* au sens le plus large. En cas de coordonnées différentes, il ne serait même pas question d'envisager une relation. Ce système constituerait un gain de temps et d'énergie inestimable et on éviterait ainsi bien des amours ratées perdues déçues avortées. *Je suis désolée Adrien, tu es L-3, nous deux ça va pas coller… – Sonia, je t'en supplie, je peux passer L-5, je suis prêt à tout pour ça, je te promets que je ferai tout ce qu'il y a à faire, je peux passer aux jeans taille basse, je t'assure que je peux devenir L-5 ! – Adrien, je suis L-8… Je suis vraiment désolée…*

À douze ans, ma sœur rationalisait déjà tous les pans de sa vie, elle était pragmatique et ordonnée, tout était déjà rangé, étiqueté, planifié, soupesé, jusque dans ses amours, et peut-être est-ce elle qui a raison depuis le début. À l'avenir, quand quelque chose clochera dans votre couple, posez-vous cette question essentielle : Êtes-vous BIL-compatibles ? Je vous souhaite une bonne soirée.

L'erreur de destinataire. Voilà la solution. Le grand classique qui fonctionne toujours. Et pour être plus crédible, je vais répondre à un vrai message, celui de Sébastien, au cas où elle s'aviserait de vérifier si mon erreur est une vraie erreur. J'aurais dû y penser avant d'envoyer mon deuxième message, mais ça ne fait qu'en renforcer la crédibilité : qui serait insistant au point d'envoyer à moins d'une heure d'intervalle deux messages sans réponse ? Un type désœuvré, dévasté par le chagrin d'amour et le manque, bloqué dans un repas de famille où tout semble dénué de sens. Ou bien, donc, un type qui se trompe de destinataire.

Comme je ne peux pas retourner aux toilettes, je m'entends annoncer à Ludo *Ah au fait, j'ai un truc pour toi, je l'ai oublié dans ma voiture, je vais le chercher*, et je me lève de table de la manière la plus naturelle qui soit. Qu'est-ce qui m'a pris de sortir une excuse pareille ? Pourquoi ne pas prétexter un coup de fil comme l'aurait fait n'importe qui de normalement constitué ? De nos jours, tout le monde quitte la table en plein milieu du repas pour passer un coup de fil. Peut-être inconsciemment redoutais-je, à mon retour, la litanie de questions faussement innocentes sur cet appel dont l'urgence imposait que je doive impérativement quitter la table. Il y aurait eu une fille là-dessous, une Valérie, une Céline, une Cathy, voire une Solène. Pire que les questions, j'aurais eu droit à des questions déguisées en regards, déguisées en silences, mal déguisées, pire que des gants de Wolverine un soir de réveillon.

Je contourne la maison et descends l'allée. Je me sens vivant pour la première fois de la soirée, j'emplis mes poumons d'air frais, redécouvre l'usage de mes jambes. Arrivé à ma voiture, je m'appuie contre la portière, renverse la tête comme pour regarder les étoiles mais sans regarder les étoiles. J'en profite pour allumer une cigarette, je n'y tenais plus. Si je me laissais aller, je fumerais même un petit joint. Le dernier que j'ai fumé, c'était avec Sonia. Un soir, sur la terrasse, collés l'un contre l'autre, c'est le dernier fou rire que j'ai attrapé avec elle – le dernier fou rire tout court. Je me souviens d'avoir ri comme jamais, tout le long de son anecdote, et une petite voix aurait dû me dire *Profites-en Adrien, tu ne seras jamais aussi heureux qu'à cet instant précis.*

… Quand j'avais treize ans, j'étais une vraie chipie, en constante rébellion, toujours à me friter avec mes parents au point d'être obnubilée du matin au soir par l'idée de fuguer, c'était devenu obsessionnel… Mais chaque fois que j'étais sur le point de le faire, une chose, une seule chose m'en empêchait, et sais-tu laquelle ? J'avais une trouille monstre que mes parents, pour la photo d'avis de recherche, en choisissent une sur laquelle j'étais moche. Imaginer qu'une photo mal choisie, une photo de moi avec un sourire forcé ou une coiffure débile ou un énorme bouton sur le front, bref, imaginer qu'une telle photo serait diffusée partout dans la région, voire le pays, me tétanisait, pour moi c'était la honte suprême… J'avais envisagé de laisser sur mon lit, avant de fuguer, un petit message d'adieu avec une photo minutieusement sélectionnée posée à côté, comme une dernière image que je leur aurais confiée, mais le risque qu'ils en choisissent une autre pour l'avis de recherche était trop grand… Voilà à quoi tient une grande décision à treize ans…

La surface noire sur mon paquet de cigarettes est en train de s'effacer, il faudra que je repasse une seconde couche. J'ai pris pour habitude de couvrir de marqueur indélébile la photo de maladie qui orne le paquet (ici : cancer de la langue) afin de pouvoir fumer sans être perturbé. Mais bien qu'indélébile, le noir finit toujours par s'effacer sur la pellicule plastifiée du paquet, comme si le message était plus fort que la matière, comme si, quoi qu'on fasse, on n'y échapperait pas. De fait, le message induit chez moi un processus contre-productif : j'essaie toujours de finir le paquet avant que le noir disparaisse pour ne jamais être confronté à la photo. Pourquoi tout ce qu'on ne veut plus voir ne pourrait-il pas se recouvrir de marqueur indélébile ? Besoin de pause ? Marqueur. Romain à la douleur ancienne ? Marqueur. Proposition de discours de mariage ? Marqueur. Poivrons ? Marqueur. J'écrase ma cigarette dans le cendrier de la voiture, sors mon portable, inspire un grand coup, tape mon message. *Eh non, désolé, no Sticky Fingers, essaie encore. Bises.* Je le relis plusieurs fois de suite, plutôt satisfait, c'est léger, pas travaillé, naturel, une vraie réponse au débotté, d'une authentique nonchalance. Je reste quelques secondes le pouce suspendu au-dessus de la touche d'envoi, à me demander si c'est une bonne idée. Puis j'envoie. Je laisse passer quelques secondes avant de renvoyer un *Oups, désolé, fausse manip* suivi d'une

169

émoticône gaffeuse – du moins que je traduis comme gaffeuse, celle avec les gros yeux et l'espèce de sourire crispé. Avant de remonter, j'ouvre la boîte à gants pour prendre un Tic Tac mais, panique, la boîte de Tic Tac est vide. Je fouille autour des sièges pour voir si ne s'y trouverait pas une autre boîte, ou un chewing-gum, ou tout autre chose qui pourrait masquer mon haleine de fumeur. Rien. Je décide de remonter en inspirant de très larges bouffées d'air frais afin de diluer les molécules de nicotine dans celles d'oxygène. Et je me souviens au moment de partir que mon excuse pour quitter la table était *Ah au fait, j'ai un truc pour toi, je l'ai oublié dans ma voiture, je vais le chercher*. Que vais-je bien pouvoir remonter à Ludo qui serait susceptible de se trouver dans ma voiture ? Je pense aussitôt à un CD. Mais qu'est-ce qui pourrait justifier que j'offre un CD à Ludo alors que jamais nous n'avons échangé autour de la musique ? La scène serait totalement surréaliste, voire assez gênante.

Quand j'étais étudiant, invité à une soirée, j'avais découvert au tout dernier moment qu'il s'agissait en fait d'une fête d'anniversaire, tout le monde avait un cadeau pour Hélène, l'hôte, et je n'avais rien prévu. Je m'étais alors éclipsé dans la cuisine, avais recyclé un reste de papier cadeau qui traînait sur la table et avais enveloppé le livre qui se trouvait dans ma poche, *Notre besoin de consolation est impossible à rassasier* de Stig Dagerman. À cette époque, nous avions tous un livre dans la poche, non pas tant pour le lire que pour l'exhiber, comme un témoignage de notre extrême sensibilité (tiercé de tête : Dagerman – Cioran – Baudelaire). Il fallait que le livre dépasse suffisamment de la poche de manière qu'on puisse en distinguer le titre, afin que les filles (car oui, soyons clairs, la manœuvre leur était destinée à elles, et uniquement à elles) se disent immédiatement en voyant ce type à la chevelure savamment désordonnée, *Mon Dieu que ce garçon a l'air profond et sensible, il semble tellement différent des autres, si seulement son regard intense pouvait se poser sur moi plutôt que d'être douloureusement tourné vers ses propres démons intérieurs.* Car, oui Sonia, moi aussi il fut un temps où je maîtrisais la douleur ancienne, ne va pas croire que j'ai toujours été ce garçon lisible et dépourvu d'aspérités, pris de douleurs intercostales en pleine nuit. J'avais donné à Hélène mon cadeau à l'emballage complètement bâclé, *Alors je te préviens, il n'est pas neuf parce qu'en fait c'est le mien, j'ai toujours pensé que les cadeaux devaient être avant tout un partage d'émotions et non un geste de consommation,* et ce faisant j'étais désespéré d'offrir mon livre de douleur ancienne à une fille que je connaissais à peine, et elle avait été aussi touchée que surprise que quelqu'un qu'elle connaissait à peine lui fasse un cadeau aussi intime. Depuis ce jour, chaque fois que je tombe sur un exemplaire de ce livre dans un vide-greniers ou chez un bouquiniste, je me jette dessus afin d'y chercher mes vieilles annotations au crayon, espérant recroiser la route du symbole de mon adolescence perdue.

Je reviens à table et, l'air contrarié, annonce à Ludo que j'étais persuadé de l'avoir pris mais que j'ai dû l'oublier chez moi, je le lui apporterai la prochaine fois, et je prononce tout ça les lèvres anormalement serrées pour que personne n'identifie mon haleine de fumeur, et tous me regardent comme s'il s'agissait d'un signe avant-coureur d'AVC ou de démence.

Régulièrement, ma mère et ma sœur s'absentent pour rapporter les plats ou en chercher d'autres, tel un ballet bien réglé, et je mets chaque fois un point d'honneur à me lever pour les aider, mais ma mère me fait rasseoir aussitôt comme si mon geste était totalement déplacé, comme si elle tenait coûte que coûte à entretenir un modèle ancestral qu'il serait injurieux de remettre en question. Chaque fois qu'elles s'éclipsent, je suis tenté de remettre le sujet du discours sur le tapis, supplier Ludovic de laisser tomber cette idée saugrenue, le ramener à la raison, mais j'avoue ne plus avoir d'arguments. J'ai envie de lui dire, Ludo, je t'en supplie, tu ne vas pas me pourrir le mois et demi qui reste jusqu'à ton mariage avec ce discours, tu ne peux pas me faire ça, on ne fait pas ça aux gens, c'est inhumain, tu as un frère et une sœur, non ? Pourquoi pas eux ? Pourquoi moi ? Mais je crains de mettre le doigt sur un sujet épineux, j'imagine que s'il n'a sollicité personne de son côté c'est qu'il doit y avoir une raison, et je n'ai aucune envie de l'écouter me déballer ses soucis de famille, pas aujourd'hui. Ma sœur et ma mère reviennent de la cuisine et, en lieu et place du gâteau au yaourt, ma sœur pose sur la table une tarte, une tarte poires-chocolat. Sophie précise que c'est elle qui l'a faite et que c'est la première fois qu'elle s'essaie à cette recette. Puis elle se met à découper des parts, des parts de tarte poires-chocolat, et tous la regardent découper méticuleusement ses parts comme si de rien n'était, et j'ai envie de me lever, d'interrompre cette scène surréaliste, de leur crier *Attendez, ne me dites pas que vous n'avez rien remarqué ? Ne voyez-vous donc pas qu'il ne s'agit pas de gâteau au yaourt ?! Vous vous foutez de moi ? C'est un canular c'est ça ? Vous êtes en train de me jouer un tour ? Vous faites semblant qu'il est tout à fait naturel qu'on soit là en train de regarder Sophie découper des parts de tarte poires-chocolat, des parts de quelque chose qui n'est pas un gâteau au yaourt, on est bien d'accord ?* Mais comme personne ne se décide à être étonné, je me mets moi aussi à regarder ma sœur découper des parts de tarte, de tarte poires-chocolat. Puis elle nous tend une assiette, l'un après l'autre, et j'observe ma mère du coin de l'œil, tentant de

174

discerner chez elle une sorte de tristesse enfouie de n'avoir pu nous faire son gâteau au yaourt, d'avoir été balayée d'un revers de main par la jeune génération, la génération tarte poires-chocolat. Mais non, elle semble ravie de cette initiative, comme un passage de relais, comme un père offre le canif à son fils que lui-même tenait de son père qui le tenait de son père et ainsi de suite, résultante d'une longue tradition familiale. *Ma fille, je crois que le jour est venu, le temps a passé, tu es devenue une femme, désormais c'est toi qui t'occuperas du dessert. — Oh maman, je... je... Si tu savais combien j'ai attendu ce jour...*, et la lèvre inférieure de la fille tremble un peu, ses yeux s'embuent, et face à face, mère et fille se prennent les mains et se regardent en silence.

Nous nous mettons à manger en émettant des petits râles de satisfaction ostentatoires et un peu artificiels, adressés à ma sœur pour la féliciter, jusqu'à ce que Ludo lâche, de manière tout à fait anecdotique, *C'est délicieux ma chérie, dommage que la pâte soit un poil dense... Tu es sûre de l'avoir suffisamment tourée ?* Il dit ça avec un sourire bienveillant et je repense à un article que j'avais lu je ne sais plus où qui disait que les Japonais ont pour coutume d'annoncer le décès d'un proche avec le sourire afin, j'imagine, de ne pas mettre l'autre dans une posture indélicate. Un silence s'installe et je vois tout de suite au regard de ma sœur qu'elle est aussi surprise que blessée par la remarque de Ludo. *Touré*, je ne sais pas ce que signifie ce mot, je ne l'ai jamais entendu de ma vie, mais je comprends qu'il s'agit là de quelque chose de très grave, il semble impensable de se lancer dans une tarte poires-chocolat sans suffisamment tourer la pâte, nous sommes en train de vivre une situation très critique. Y a-t-il un risque à manger une pâte qui n'a pas été suffisamment tourée ? N'allons-nous pas finir comme Lætitia à la suite de l'ingestion de ses champignons et ainsi errer jusqu'à la fin des temps de cours de catéchisme en cours de catéchisme ? Et les enfants, autour de la phrase *Au bout du chemin, la lumière,* dessineront tout un tas de petites tartes poires-chocolat et la nouvelle dame au nouveau chignon rigide et aux nouvelles lunettes rectangulaires prendra son nouvel air contrit et leur demandera de recommencer, sans tarte poires-chocolat. Ma sœur s'enferme dans un mutisme qui ne lui ressemble pas. Elle pourrait se défendre, contre-attaquer, argumenter, crier à l'injustice, à la diffamation, Pas suffisamment tourée ma pâte ?! Comment ça, pas suffisamment tourée ? Tu plaisantes j'espère ? Et toi tu as fait quoi pour qu'elle soit suffisamment tourée ma pâte ? Tu m'as aidée peut-être ? Je me tape tout dans cette baraque, tu entends, tout, pendant que monsieur écrit ses petits articles de merde que personne ne lit. Franchement, Ludo, qu'est-ce qu'on en a à foutre que les fourmis échangent des hormones par trophallaxie ? C'est la trophallaxie qui lave tes caleçons peut-être ?! C'est la trophallaxie qui va tourer la pâte ?! Tu me dégoûtes. Tu sais quoi, tu ne mérites pas d'être un I-9. Mais non, elle ne dit rien, et son silence est d'une violence plus éloquente que n'importe quelle défense. La tarte poires-chocolat qui remplace le gâteau au yaourt, et maintenant ce silence, ce repas prend décidément une tournure étrange qui au fond n'est pas pour me déplaire : nous sommes bel et bien en train d'infléchir le continuum espace-temps, nous sommes en train de faire voler en éclats la malédiction du Repas sans fin et je ne remercierai jamais assez ce mot, *touré*, d'exister, et l'ajoute aussitôt à la liste des mots dont les sonorités m'ont toujours séduit indépendamment de leur sens – épistolaire, ivre, esclave, certes, sunnite... J'en cherche au passage une définition hypothétique : tourée, tour, se dit d'une pâte qui n'est pas suffisamment montée telle une tour ? Autour de laquelle on n'a pas assez tourné ? Qu'importe, si ce mot infléchit réellement le cours des choses, si à sa

177

suite tous les événements de ma vie se voient bouleversés, et surtout si Sonia me répond, je promets de le prononcer une fois par jour jusqu'à ma mort, sans même en connaître le sens, une fois par jour je devrai le glisser dans une conversation, quel qu'en soit le sujet, et tant que j'y parviendrai, il ne m'arrivera rien de mauvais.

C'est la toute première fois que je décèle une faille dans leur relation, fût-elle minime, et tous deux m'apparaissent subitement sous un nouveau jour, plus humains, profondément touchants parce que friables, imparfaits, précaires comme nous le sommes tous, nous, les vagabonds de 17 h 56, et je suis rassuré que ce couple que je prenais pour une sorte de modèle absolu, même s'il n'était pas le mien, montre enfin des signes de faiblesse. Ainsi leur relation n'est pas qu'un échange de regards doux, de doigts entremêlés à l'infini, de longues balades en bord de plage parsemées de projets de chauffage au sol. Pour la première fois depuis longtemps, probablement depuis la mort de notre chien Pitou, ma sœur m'émeut, son silence désarmé me touche. J'ai presque envie de lui dire qu'elle est très bien sa pâte, suffisamment tourée à mon goût, et le chocolat est parfait aussi, et les poires, mmhh les poires, je n'en ai jamais mangé d'aussi succulentes et tendres et juteuses et douces. Mais je ne le fais pas, il est trop tard, on ne sait plus faire ça, on n'est plus capables d'élan de tendresse l'un envers l'autre, une simple bise pour nous dire bonjour nous semble déjà frôler dangereusement l'inceste, la pudeur que nous avons instaurée au fil des ans a tout dévasté, ça et des couches de non-dits, de fréquentations clairsemées et d'encyclopédies. Je me dis alors qu'il se trouve peut-être plus de raisons que je ne le croyais pour qu'un mariage soit annulé, une suspicion de pâte pas suffisamment tourée, par exemple. Mais, au lieu de me réjouir de cette nouvelle éventualité, j'en suis plutôt désolé. Le spectacle un peu triste que m'offre ma sœur prend le pas sur ma phobie du discours, et me traverse bêtement l'esprit qu'au fond je dois être quelqu'un de bien, et je regrette à cet instant précis que d'autres personnes ne soient pas dans ma tête pour le constater avec moi. Oui, Sonia, si tu étais dans ma tête, là, pile au moment où je regarde ma sœur, la pause te semblerait soudain tout à fait hors de propos.

Après un silence qui me paraît durer des heures, ma sœur finit par répondre *Ah tu trouves ?* Ludo, réalisant soudain à quel point il a pu être maladroit malgré lui, pose sa part de tarte, prend la main de ma sœur dans la sienne et redouble de marches arrière et de circonvolutions, *Non mais elle est vraiment exquise, je t'assure, un vrai régal, pour une première c'est un véritable coup de maître*, et autres jolis mots enrobés qui redonnent le sourire à ma sœur. Il lui dépose un baiser sur la main, elle répond *Merci mon chéri*, l'incident est clos, les apparences sont sauves, même s'il est passé dans ce silence d'à peine quelques secondes autant d'informations que peuvent se transmettre deux fourmis par trophallaxie car, oui, vois-tu Ludo, j'écoute ce que tu racontes, quand bien même tu accuses ma sœur de n'avoir pas suffisamment touré la pâte.

L'épisode de la pâte insuffisamment tourée me fait prendre conscience d'une chose : nous nous sommes toujours débrouillés pour que nos repas de famille soient totalement dépourvus de silences. Chez nous, un silence durant un repas, fût-il de quelques secondes, traduit un malaise, un non-dit dérangeant, voire un ennui profond, quelque chose de l'ordre du *Mon Dieu, c'est horrible, on n'a plus rien à se dire !* Si d'aventure un embryon de silence vient à s'installer, surtout ne pas paniquer, garder son calme, et se raccrocher à la discussion-bouée : commenter ce que l'on est en train de manger (en évitant si possible de faire des remarques sur une pâte insuffisamment tourée, sous peine d'aboutir à un silence plus long et plus lourd que celui que l'on voulait éviter, c'est la base, Ludo, tu n'as pas encore bien saisi toutes les subtilités de cette maison je crois, mais ça viendra). Ou bien on se souvient de ce que l'on avait mangé à telle occasion chez telle personne, et on compare, on étudie, on dresse des bilans culinaires, Il est bon ton gigot maman, il est moins sec que celui qu'on avait mangé chez Marianne, elle a tendance à le faire trop cuire, c'est fou ça, cette manie de faire trop cuire le gigot, c'est quand même pas compliqué. Et il m'a toujours semblé, paradoxalement, qu'un repas de famille sans silences était le signe d'une famille malade. À mes yeux, l'archétype d'une famille saine, unie et équilibrée est précisément un repas plein de silences, d'échanges de regards tendres, de sourires, d'instants suspendus, on se regarde la bouche pleine, on est ensemble, on est là, on est bien, et ça suffit, pas besoin de se remémorer cette fameuse daube de taureau qu'on avait mangée à Arles en 2013, Tu te souviens ma chérie ? Cherchons ensemble la date exacte de cet événement afin de gagner la partie sur un silence qui nous mettrait tous très mal à l'aise, veux-tu ?

Voilà ce que j'aurais dû respecter, moi : le silence. Qu'est-ce qui m'a pris, après une diète silencieuse de trente-huit jours, d'envoyer pas moins de quatre messages dans la journée dont trois en moins de deux heures – et deux totalement absurdes. J'ai l'impression d'être dans la peau de quelqu'un qui, après un régime soutenu, ouvre par simple réflexe une boîte de chocolats et ne peut s'empêcher d'en avaler la moitié. Je suis pétri de la même culpabilité. À ceci près qu'on peut se faire vomir après avoir ingurgité une demi-boîte de chocolats, et s'il était possible que mon téléphone vomisse des messages immatures que j'ai envoyés ces dernières heures, je le ferais immédiatement. Qu'attendent les opérateurs pour créer une fonction *Effacer à distance les messages que vous regrettez d'avoir envoyés avant que le destinataire ne les ait lus* ? Le premier qui fera ça emportera le marché des abonnements haut la main. Que sont devenus mes préceptes sur le manque et la cristallisation et le vertige de l'absence et l'attraction du vide ? Je suis en train de la saturer de présence, pire, de présence inepte. Quatre messages, quatre messages sans réponses. Churchill a dit que le succès était d'aller d'échec en échec avec le même enthousiasme, mais c'est facile de faire des aphorismes quand on n'a pas de portable, moi aussi j'aurais pu en faire des aphorismes si je n'avais pas envoyé un message à 17 h 24, moi aussi j'aurais pu faire le malin avec un cigare et un air *so british* si je n'avais pas connu Sonia, tout aphorisme est déplacé, tout jugement extérieur n'a tout simplement pas droit de cité tant que l'on n'a pas connu Sonia, et les mots deviennent tous creux quand ils ne sont pas ceux que l'on attend – de celle que l'on attend. Et le seul aphorisme qui trouve grâce à mes yeux ce soir : Un seul être vous manque et tout est dépeuplé – illustré par un flamant rose qui prend son envol à la surface d'un lac paisible aux reflets scintillant de mille paillettes. Et quand bien même le succès serait d'aller d'échec en échec avec le même enthousiasme, mon enthousiasme commence à sérieusement prendre l'eau de toutes parts, et j'ai beau écoper, écoper, tout ça va se finir en chaussettes au premier plan, je le vois d'ici.

Qu'en est-il du pacte ? Je m'étais promis que si je n'avais pas de nouvelles au moment où le gâteau au yaourt toucherait la toile cirée, j'appellerais Sonia. Me voici face à un dilemme : ce n'est pas un gâteau au yaourt qui a touché la toile cirée mais une tarte, une tarte poires-chocolat. Et bien que conscient de jouer avec les mots, simulant un dilemme monté de toutes pièces, je décrète qu'il est important de rester très précisément attaché aux termes d'un pacte, de la même manière qu'on ne pose pas le pain à l'envers sur la table sous peine de grand malheur. Si l'on commence à transiger sur les mots, le pacte perd toute sa légitimé, transiger sur les mots c'est signer un contrat au bas d'un texte à trous. Je décide que je l'appellerai au moment où le café touchera la toile cirée, voilà, le café c'est parfait, le café est une valeur sûre. Mais c'est aussi ce que je pensais du gâteau au yaourt. On n'est pas à l'abri que ma sœur arrive avec un plateau, nous annonçant *Je vous ai préparé un thé au safran*, et Ludo dira *Il est délicieux ton thé mon amour, mais tu es sûre de l'avoir suffisamment flétri ?*

Alors que mon père parle des fortes précipitations de ces derniers jours et qu'il ne supporte pas les gens qui râlent parce qu'il pleut et qu'ils feront moins les malins quand les périodes de sécheresse deviendront de plus en plus persistantes et fréquentes et qu'ils la regretteront la pluie tiens, ils la prieront à genoux, alors qu'il nous parle de tout ça, un déclic se produit en moi : durant ces trois derniers jours de pluie intense, il ne serait pas étonnant que son portable ait pris l'humidité ou ait chuté dans une flaque d'eau, Sonia est si maladroite, je me demande comment son portable a fait pour résister à tous ces accidents à répétition, elle était en permanence en train d'en recoller les morceaux. Voilà, il a pris l'eau, et elle l'aura plongé durant quarante-huit heures dans un saladier rempli de riz pour que l'humidité du téléphone soit absorbée, par une sorte de phénomène d'éponge ou je ne sais quoi, Ludo expliquerait ça mieux que moi. Tu te souviens, Sonia, c'est toi qui m'avais appris ce procédé. La première fois que je t'avais vue plonger un portable dans un saladier de riz, je m'en étais étonné, et tu m'avais expliqué que c'était pour revitaliser le riz avant cuisson, que les ondes amplifiaient la présence des sels minéraux, et j'avais répondu *C'est dingue*, et tu avais éclaté de rire, tu aimais ça, ma naïveté, avant. Je suis requinqué par l'éventualité du portable hors d'usage, même si mes messages désespérés s'échouent dans un saladier plein de riz basmati. Et je visualise mes mots noyés dans le riz, le portable agonisant emporté dans les profondeurs et eux, mes pauvres petits mots, tentant par tous les moyens de survivre, de remonter à la surface à travers les grains de riz, reprendre un peu d'air, et, une fois revenus à la surface, se construisant un petit radeau, et s'entassant tous, les uns contre les autres, des mots tout serrés sans espace, avec leurs petites chaussettes, et décidément ce soir tout est affaire de naufrage et je crois que je commence à avoir trop bu.

Je réalise qu'il y a un moment que je n'ai pas parlé. J'ai pour principe de tenter autant que possible de ponctuer les repas de participations brèves mais régulières, donnant l'illusion d'une présence active et continue. Il faudrait que je dise quelque chose là, mais rien ne me vient, l'image omniprésente de Sonia brouille toute inspiration et me maintient à distance permanente de ce repas, de ces gens, de cette galaxie. Je pourrais commenter la tarte de ma sœur mais ça ne ferait que remuer le couteau dans la plaie, l'incident est clos. Je pourrais parler d'autre chose que de la pâte, les poires, ou bien le cacao, le cacao qui vient des Aztèques, Ah et tiens au fait saviez-vous que l'extinction de la civilisation aztèque est due à la salmonelle ? Mais je n'ai pas le droit de marcher sur les plates-bandes scientifiques de Ludo, ce n'est pas mon rôle, chacun dans ces repas est affublé d'une fonction bien déterminée, la mienne n'est pas de lancer une discussion mais de prolonger les préexistantes, de poser des questions, de m'étonner, m'extasier, hocher la tête d'un air concerné, prendre mon menton entre mon pouce et mon index pour signifier que tout ça est quand même assez fascinant quand on y pense. Il est interdit de sortir de son rôle dans un repas de famille, si par malheur quelqu'un s'y risquait, s'installerait aussitôt une gêne palpable, on éloignerait discrètement la bouteille de vin du dissident tout en passant à un tout autre sujet. Alors quoi ? Que me reste-t-il ? Ah et tiens au fait saviez-vous que Sonia est en train de me rendre fou de chagrin ? Ah et tiens au fait saviez-vous que si elle ne revient pas, je ne m'en remettrai jamais ? Ah et tiens au fait saviez-vous qu'il faut être sacrément malade pour ressentir cette envie renouvelée de tomber amoureux après s'être fait déshydrater le cœur comme un portable dans un saladier de riz ? Je décide de rebondir mollement sur la sécheresse de mon père en disant que j'ai lu quelque part, je ne sais plus où (je me dois contractuellement de dire que je l'ai lu quelque part et de préciser je ne sais plus où, afin de laisser à Ludo toute légitimité et toute latitude de confirmer ou d'infirmer cette information aléatoire. J'ai un devoir d'incertitude et d'amateurisme maladroit), j'ai lu qu'il existe même des endroits où la nappe phréatique a quasiment disparu, et je crois n'avoir jamais formulé de ma vie une phrase aussi creuse et inintéressante et aussi peu précise. Mais Ludo renchérit, puis mon père, puis à nouveau Ludo, et j'ai rempli mon rôle, j'ai réinjecté un peu de ma présence orale dans ce repas, je peux sereinement m'en retourner à Sonia, sauvé par l'assèchement de la nappe phréatique.

Je ne sais pas pourquoi je m'évertue à assurer ce minimum de présence alors qu'au fond personne n'attend rien de moi depuis bien longtemps. Je pourrais presque ne pas venir, qu'on

189

se contente de mon prénom, comme ma mère se contente du prénom de mes amoureuses, on n'y verrait que du feu. Adolescent, je faisais parfois ce rêve : je suis en classe, la professeure fait l'appel (il s'agit toujours d'une femme), elle arrive à mon nom, je réponds *Là*, elle laisse passer un petit silence et répète *Adrien ?* Je répète *Là* en levant la main, mais elle ne me voit pas. Elle demande *Adrien n'est pas là ?* Je tends le bras, l'agite, cherchant à confirmer ma présence, si si, je suis bien là, mais elle continue de balayer la classe du regard sans qu'il se pose sur moi, *Adrien est toujours malade ? Toujours la mononucléose ? Quelqu'un a de ses nouvelles ?* Et tous secouent la tête en silence, aucun de mes camarades n'a de mes nouvelles. Alors la professeure me marque absent et continue l'appel. Je finis par baisser le bras, désappointé, et généralement le rêve s'arrête là. À bien y réfléchir, on n'est pas loin des gambas énormes et bien rouges et brillantes et juteuses, je suis condamné aux rêves d'absence et d'invisibilité. Bien que celui-ci fût récurrent, la mention de la mononucléose, elle, n'est apparue qu'une seule fois. Pourquoi la mononucléose ? Aucune idée. Être absent à cause de ce que l'on nomme la maladie du baiser alors que je n'avais encore jamais embrassé personne et alors même que la perspective du premier baiser me hantait nuit et jour, qu'est-ce qu'on fait avec la langue, à quel moment sait-on que le baiser est terminé, doit-on fermer les yeux sciemment ou bien se ferment-ils de fait si le baiser est suffisamment habité, être absent à cause de cette vaste inconnue me semblait être une belle ironie. Mais il y avait quelque chose d'héroïque dans la raison de mon absence, là où certains se rêvaient en superhéros, en Spider-Man ou en Wolverine (le vrai Wolverine, pas celui avec des griffes en plastique qui hante les soirées de jour de l'an), je n'avais, moi, pas pu venir en classe parce que j'avais une vie sentimentale riche et débridée. J'embrassais des filles, l'essentiel de mon existence était tout entière à l'extérieur de cette classe étriquée, eh oui les gars, la vie est ailleurs, allez en cours si ça vous amuse, moi j'embrasse des filles et tant pis si j'attrape des trucs, croyez-moi, le jeu en vaut la chandelle, et je peux vous dire que mes yeux se ferment sans même que j'aie à leur imprimer la moindre impulsion tant la passion embrase tous nos sens, mais j'imagine que tout ça ne doit pas trop vous parler, pas vrai ? Voilà ce que signifiait la mononucléose. On a les rêves érotiques qu'on mérite.

Je vais aux toilettes, pisser pour de bon cette fois, j'en profite pour consulter ma messagerie, comme si un message eût pu arriver sans que le téléphone sonne, ou vibre, sans qu'il manifeste le moindre signe. Mais non, évidemment, toujours rien. Tandis que je me reboutonne, mon œil est attiré par des magazines posés par terre près de la cuvette, j'en attrape un au hasard. *Femme Actuelle.* Je l'ouvre machinalement à la page des horoscopes. Amour : une étoile. Une étoile sur combien ? Je parcours rapidement les autres signes pour connaître la base du barème. Trois étoiles. Et je n'en ai qu'une. *Un comportement vous déçoit et quand le Lion se sent trahi, il tourne les talons… après avoir pris le temps d'exprimer son mécontentement. À bon entendeur !* Hein ? Pardon ? Comment ça ? Qui a écrit ça ? Un certain Marc Angel. En haut de la page se trouvent sa photo et son nom. Il sourit. Il sourit alors qu'il m'a octroyé une seule étoile en amour et qu'il est persuadé que j'ai tourné les talons. Mais non, Marc Angel, vous dites n'importe quoi, où avez-vous vu que le Lion tourne les talons quand il se sent trahi ? Où êtes-vous allé pêcher cette théorie de talons qui se tournent ? Pas du tout ! Quand il se sent trahi, le Lion passe par trois phases, Abattement-Colère-Espoir, mais il ne tourne pas les talons, Marc Angel, il envoie un message à 17 h 24 et il attend fébrilement que le Verseau daigne lui répondre, voilà ce qu'il fait le Lion ! Révisez vos fiches mon vieux, ce n'est pas sérieux, *Femme Actuelle* que diable, c'est quand même un tirage considérable, des gens vous lisent, vous pourriez être un tout petit peu plus rigoureux, Marc Angel, bon sang ! Et puis une étoile ! Pourquoi une seule et famélique étoile ? Vous ne pouviez pas pousser jusqu'à deux ? Ça vous aurait écorché la gueule, Marc Angel, de me mettre deux étoiles ? Pour le moral, pour l'espoir, pour donner l'illusion que demain est un nouveau printemps, une fenêtre ouverte sur un infini possible ? Vous croyez que c'est avec une étoile que vous allez donner envie aux gens d'avancer, de se lever le matin et de partir au combat ? Vous trouvez que la vie n'est pas assez dure comme ça, Marc Angel, pour distribuer au compte-gouttes des bribes d'étoiles ?

Vous mériteriez que tous les Lion de France et de Navarre, soit statistiquement un douzième de votre lectorat, boycottent votre horoscope, qu'ils arrêtent d'acheter *Femme Actuelle*, et on verrait qui se retrouverait du jour au lendemain avec une misérable étoile à Travail, vous comprendriez, Marc Angel, ce que ça fait de n'avoir qu'une étoile pour unique carburant. Alors certes, j'ai deux étoiles à Travail (*Des experts de bon conseil vous aident à dénouer une situation financière délicate. Vous pouvez enfin avancer*) et à Forme (*Humeur en dents de scie en début de semaine. Lundi le sourire, mardi aussi, avant de ronchonner les jours suivants*), mais franchement qu'est-ce que vous voulez que ça me foute quand j'attends un message de Sonia ?

Et évidemment je ne peux m'empêcher de lire son horoscope. Trois étoiles à Amour. Elle a trois étoiles à Amour. Je n'en reviens pas. *Beaucoup d'amis et de gens bienveillants autour de vous. Célibataire, l'un d'eux a toutes les chances de vous taper dans l'œil. En couple, c'est la fête à la maison*. Véridique, là, sous mes yeux, Marc Angel a osé écrire ça, noir sur blanc, dans le n° 1738 de *Femme Actuelle*. Il ne se contente pas de me jeter une étoile comme un os dans l'écuelle d'un chien, il en attribue trois à Sonia. Tu veux ma mort, Marc Angel, c'est ça hein, tu veux ma mort ? Et puis tu en as trop dit ou pas assez, c'est qui cet ami qui a toutes les chances de lui taper dans l'œil ? Je le connais ? C'est un ami commun ? Et Romain dans tout ça ? Que devient Romain au milieu de tous ces gens bienveillants ? Et pourquoi tous ces gens bienveillants, d'ailleurs ? Foutez-lui la paix, elle n'a que faire de votre bienveillance, laissez-la réfléchir en paix, laissez-la se souvenir de nous, elle a un message à écrire, elle a une histoire à reconstruire, une pause à refermer. Dis-leur toi, Marc Angel, dis-leur dans ton horoscope à tous ces gens bienveillants que ce n'est même pas la peine d'essayer, que Sonia et moi c'est pour la vie, que rien ne pourra détruire notre histoire, explique-leur, *Quel que soit votre signe, inutile d'essayer de faire preuve de bienveillance à l'égard des Verseau célibataires que vous croiserez, car leur masque empreint de mélancolie ne trahit aucunement l'espoir d'une nouvelle rencontre mais couve tendrement et secrètement un amour slave, pur et infini. Ne vous approchez pas d'elle, n'y pensez même pas*, tu vois, Marc Angel, c'est pas sorcier.

J'arrache la page de *Femme Actuelle*, la plie en quatre et la glisse dans la poche arrière de mon pantalon, et je serais bien incapable de savoir pourquoi je fais ça, pourquoi je tiens à garder cette page grotesque et déprimante, je n'ai aucune explication tangible à ce réflexe. Je sors des toilettes, regagne la table et m'assois sur le visage de Marc Angel, ce qui constitue déjà symboliquement une bonne raison d'avoir arraché la page.

Ma mère revient de la cuisine avec une boîte de chocolats, probablement l'un de ces vestiges de cadeaux de Noël pas très inspirés, version mangeable de l'encyclopédie – une encyclopédie sur les boîtes de chocolat constituerait une sorte de mise en abyme vertigineuse, sorte d'apothéose de la non-idée, de la non-envie, une allégorie de la démission du cadeau. Ma sœur me tend la boîte de chocolats, je laisse ma main en suspens quelques secondes au-dessus de la boîte, je ne sais jamais lequel choisir, et cette décision dérisoire qui n'est qu'une simple formalité pour le commun des mortels prend chez moi des proportions absurdes, j'ai la sensation de me trouver face à un choix décisif de ma vie, que ce choix pourrait très bien entraîner dans son sillon une somme de conséquences potentiellement dramatiques et irréversibles. Je finis par me décider, en prends un qui me semble attrayant, le croque et me fige. C'est le chocolat avec ce truc blanc immonde à l'intérieur. La boîte contient cinquante-quatre chocolats, en considérant que chaque type de chocolat s'y trouve en double, j'avais une chance sur vingt-sept de tomber sur le chocolat avec le truc blanc à l'intérieur, je suis maudit. Oui, je sais Sonia, je sais ce que tu me dirais, *Mais de quelle malédiction parles-tu exactement, Adrien? Tomber sur le chocolat avec le truc blanc à l'intérieur, tu appelles ça une malédiction? Si tu vivais en Afrique, tu serais bien content de tomber sur le chocolat avec le truc blanc à l'intérieur, tu serais même déjà bien content d'avoir un chocolat, dis-toi qu'eux n'ont même pas de chocolat.* Alors, oui, bien sûr Sonia, là tu n'aurais pas tort, je n'aurais rien à t'opposer (je garderais pour moi cette fois l'argument de ma contribution au Bénin). Mais vois-tu, Sonia, il ne s'agit pas d'une simple histoire de goût, de parfum, de saveur, non, c'est un symbole, encore un, on nage en plein dans la symbolique depuis ce matin, après la soupe de vermicelles au milieu des gambas énormes et bien rouges et brillantes et juteuses, je tombe sur le chocolat avec le truc blanc à l'intérieur, cette journée me dit beaucoup de choses, elle m'envoie beaucoup de signaux, et je crois qu'il serait temps que je me décide enfin à ouvrir les yeux. Cette journée me dit : qu'est-ce qui t'a pris d'envoyer un message à 17 h 24 aujourd'hui, ce jour proscrit entre tous les autres ? Si tu avais consulté Marc Angel, il te l'aurait dit lui, *Aujourd'hui évitez d'envoyer un message à l'être cher, la conjoncture ne peut pas être moins favorable, allez plutôt vous balader au bord de la rivière, visiter un musée ou profitez-en pour faire un peu de rangement chez vous. À bon entendeur !* Voilà, Sonia, pourquoi le truc que je garde dans ma bouche sans le mâcher a ce soir un goût plus incongru encore qu'à son habitude.

Qui a eu cette idée un jour ? Quel cerveau malade s'est dit un matin en se levant Tiens et si on mettait un truc blanc à l'intérieur d'un chocolat dans une boîte, un truc blanc qui n'a rien à voir avec le chocolat, qui ne s'accorde absolument pas avec lui, que personne n'aime et qui suscitera chez celui qui tombera dessus une immense déception et une subite lassitude existentielle ? Ce truc blanc qui n'existe pas dans la vraie vie, qui n'existe pas en dehors du chocolat au truc blanc, que rien ne prédestinait à traverser impunément autant de Noëls. Quelle est au juste cette étrange matière ? Les molécules de truc blanc ont dû arriver sur Terre sur une météorite, hein Ludo, tu m'avais expliqué ça un jour, la panspermie, ces éléments chimiques apportés sur Terre il y a des millions d'années, et qui se sont peu à peu développés, au fil des ans, des ères, et à ce titre nous serions tous des extraterrestres, je me souviens de l'expression subjuguée de tout le monde autour de la table la dernière fois que tu avais sorti ça, *Nous serions tous des extraterrestres*, tu étais très fier de ton effet. Ludo qui, pour ne rien arranger, est tombé lui sur le cœur fondant chocolat noir et laisse échapper des petits *mmhh*, et visiblement le chocolat a été suffisamment torréfié ou touré ou flétri ou je ne sais quoi à son goût, et je ne me suis jamais senti aussi seul, avec mon truc blanc extraterrestre dans la bouche qui n'a pas bougé d'un millimètre, calé en jachère dans le coin gauche de ma langue. Quand une autre personne à table tombe sur le second chocolat avec le truc blanc à l'intérieur, on peut échanger un regard, complices dans la déception, unis par le lien de l'acharnement divin, et une sorte de solidarité s'instaure, on traversera cette épreuve ensemble, à deux on sera forts, on mâchera les yeux dans les yeux, nos regards tendus l'un vers l'autre, mus par cette fraternité de cordée au moment de gravir la falaise, et si l'un des deux flanche, les deux se retrouvent en bas, écrabouillés sur les rochers. Mais non, je suis seul avec mon truc blanc, les autres mâchent du chocolat noir, du chocolat au lait, une noisette, une amande, et je n'ai personne avec qui partager mon désarroi. Et je sais à cet instant précis que Sonia n'appellera jamais, je sais à cet instant précis que je ne tomberai plus jamais amoureux, que je ne trouverai plus jamais personne comme elle, que chaque fille que je croiserai dans ma vie souffrira inévitablement de la comparaison, que le visage de Sonia viendra en surimpression sur tous les visages que j'approcherai, que rien n'arrivera à la cheville de notre histoire, que toutes les post-Sonia ne seront qu'une suite d'épigones fades et incolores et sans vie, et qu'après tout pourquoi pas, j'aurai vécu ça, tout le monde n'a pas la chance de croiser la route de Sonia. Et je me résous à mâcher le truc blanc, ce n'est même pas mauvais, ça a juste un goût de vide, de gâchis et d'amours perdues.

Ma sœur me tend mon café, me demande combien de sucres, aucun Sophie, je ne mets plus de sucre dans mon café depuis des années, pas plus que je n'y ajoute des morceaux de poivron, mais qu'importe, on n'est plus à ça près, on a de la marge. Il faudra un jour que je te dresse la liste de tout ce que je n'aime pas, n'aime plus, n'ai jamais aimé, ai abandonné, mais qu'est-ce qu'on se dirait ensuite ? Une fois enlevés les ratés, que nous resterait-il à partager ? Notre méconnaissance de l'autre est notre seul lien. Et tout à coup mon portable vibre dans ma poche. Tout mon corps se raidit, et dans ma tête se dresse aussitôt un organigramme des possibles, avec ses ramifications, ses branches, ses arborescences, et la probabilité qu'il s'agisse d'un message de Sébastien m'envoyant un *Sorry, retrouvé sticky fingers, bises* s'impose assez rapidement loin devant tout le reste. Aussi, pour retarder ma déception, je m'impose de ne pas consulter mon téléphone tout de suite. Je palpe nerveusement la coquille de noix dans mon autre poche, comme un palliatif, ma méthadone de salut, mais l'effet est inverse à celui escompté et la coquille me ramène encore plus fort à Sonia. Je finis par craquer, sors le portable et manque de le faire tomber dans mon café tant mes mains à cet instant ont perdu toute faculté de préhension. Et le prénom me gifle le visage. C'est elle. C'est Sonia. Il est 21 h 16 et c'est elle. Mon regard est aimanté par ce prénom inscrit sur l'écran et jamais de ma vie cinq lettres ne me sont apparues aussi porteuses d'espoir, et tout autour de moi prend subitement une dimension fantastique, comme si on allumait soudain une ampoule alors même qu'on avait fini par ne plus remarquer qu'on était dans l'obscurité. Ludo est en train de me parler et je ne sais même pas de quoi il me parle, et moi qui ai toujours détesté sa façon de me parler de près, me donnant toujours la désagréable sensation que des molécules de mots, de sons, d'haleine, de salive, pénètrent ma sphère intime sans que j'y puisse rien faire, là, tout de suite, je m'en fous, les molécules peuvent bien entrer et faire tout ce qu'elles veulent, c'est open bar.

Et toi, comment ça va ?

Je lis et relis sans fin ces cinq mots. Après les cinq lettres, les cinq mots. Je ne m'en lasse pas, je pourrais les lire jusqu'à la fin de ma vie sans jamais les vider de leur substance, parce qu'ils me parleront toujours de ce moment. J'ai la pleine conscience de l'instant, je sais qu'il s'inscrira dans notre histoire, que j'y reviendrai comme on revient en pèlerinage devant la maison de son enfance, le lieu de son premier baiser, un arbre à vœux, je sais d'ores et déjà que je n'effacerai jamais ce message, qu'il rejoindra mon petit musée Sonia, et je trouve même dommage qu'il ne puisse y être incarné physiquement. Il me faut un objet. Quelque chose qui sera le souvenir palpable de ce moment, je veux le matérialiser, je veux une madeleine de Proust pour plus tard. Je prends machinalement un petit sachet de sucre dans la coupelle que ma sœur a posée sur la table et le glisse dans ma poche. J'espère que personne n'a relevé mon geste qui pourrait apparaître aussi pathétique qu'inquiétant, et ma mère prendrait ma sœur à part dans la cuisine pour lui glisser *Sophie, je me fais du souci, je crois que ton frère a de gros problèmes financiers...* Mais personne ne m'a vu. Ce petit sachet de sucre sera le témoin concret de 21 h 16. Et c'est complètement ridicule et en même temps pas tant que ça. Je devais l'appeler au moment où mon café toucherait la toile cirée, et c'est ce moment qu'elle a choisi pour m'écrire, et je ne peux m'empêcher d'y voir un signe, comme j'en ai toujours vu entre nous, comme si ce lien n'avait jamais été rompu, car, oui, souviens-toi Sonia, il faut voir du beau partout.

Et toi, comment ça va ? Alors oui, ce n'est pas grand-chose, *Comment ça va ?* Peut-être que ce *Et toi, comment ça va ?* n'est rien d'autre qu'une simple demande de nouvelles et qu'il n'y a rien derrière, aucune attente, aucune envie, peut-être même est-il empreint de pitié, peut-être l'écrit-elle nue à côté d'un Romain à la douleur ancienne, peut-être même l'écrit-elle le por-table posé sur ses fesses à lui, à la Valmont, peut-être peut-être peut-être peut-être mais qu'importe, ces quelques mots c'est du carbu-rant pour mille ans, et quand on n'en aura plus on ira en chercher d'autre, on ira le grappiller, on ira le mendier, parce que c'est ça la vie, trouver quelques gouttes de carburant pour pouvoir avancer, un peu, lentement, sur la bande d'arrêt d'urgence, mais avancer, *Step by step* comme disaient les New Kids on the Block. Tant qu'il y a des *Et toi, comment ça va ?* il y a de l'espoir.

J'espère que Ludovic n'est pas en train de me parler d'un sujet dramatique, la fonte des glaces ou la recrudescence inquiétante de la rougeole, parce que là, tout de suite, je rayonne, j'ai un sourire hilare, alors autant que ce sourire soit camouflé, qu'il soit approprié au contexte, qu'il se fonde si possible dans une discussion joyeuse et gaie et pleine d'amour, hein Ludovic, confirme-moi que tu es bien en train de me raconter une anecdote à propos de la frénésie sexuelle des bonobos, du léger Ludovic, je t'en supplie, du léger. Même si au fond je m'en fous d'être décalé, là tout de suite je veux bien être décalé, je veux bien ne pas être à ma place, je veux bien être l'absent à la mononucléose, l'invisible au bouillon de vermicelles.

Un après-midi, c'était au début du printemps, Sonia et moi étions dans un parc, assis sur un banc, collés l'un contre l'autre, et mangions une brioche en fumant une cigarette. C'était un mercredi, il y avait là pas mal d'enfants avec leurs parents. Devant nous, une maman essayait d'apprendre à son fils à faire du vélo sans petites roues. Elle l'avait placé à une extrémité du parc, était allée se poster à l'autre extrémité, et lui avait crié *Allez Justin, vas-y !* Et Justin s'était élancé, sur son petit vélo rouge, le regard concentré sur sa roue avant, les poings serrés sur son guidon, et Sonia m'avait glissé à voix basse dans le creux de l'oreille *S'il se casse la gueule avant d'arriver jus-qu'à sa mère, on finira notre vie ensemble dans un hospice, main dans la main, déambulateur contre déambulateur.* Sa mère écartait les bras et l'en-courageait, *Allez Justin, c'est bien, continue!* Et nous ne quittions pas Justin des yeux, comme un bookmaker suit une course de chevaux, cap-tivé, haletant, mais un bookmaker pervers, qui table plus sur la chute de l'adversaire que sur la victoire de son propre poulain. Et Justin avan-çait, avançait, il traversait progressivement ce parc qui semblait interminable, étiré, comme les distances dans les dessins animés japonais de mon enfance, et chaque centimètre gagné voyait l'hospice tomber en ruine. Puis, tout à coup, le vélo s'était mis à tanguer, et le mouve-ment parasite avait commencé à dangereuse-ment s'amplifier, jusqu'à ce que Justin perde le contrôle de son vélo, et nous l'avions regardé tomber au ralenti, dans une chute qui, alors même qu'elle s'était faite presque à l'arrêt, n'en avait pas été moins spectaculaire, le visage du pauvre Justin allant littéralement s'écraser contre le sable. Sonia et moi, dans une explo-sion de joie réflexe, nous étions levés en criant *Ouiii!!!* bras au ciel, et la mère, tout en accou-rant vers son fils, nous avait lancé un regard assassin, et nous étions partagés entre honte coupable et bonheur infini à l'idée de nos déambulateurs collés. Tu vois, Justin, c'est grâce à toi qu'elle me répond, là, maintenant, à 21 h 16, parce qu'il ne pouvait pas en être autrement, parce que les pactes de bancs de parcs sont irrévocables, intangibles et sans appel. De même que les initiales que l'on y grave y restent gravées à jamais, les vœux de chute à vélo dans le creux de l'oreille y restent gravés aussi. Les bancs de parcs sont des études de notaire, tout devrait s'y passer là. Merci Justin pour ton sacrifice, merci d'être tombé pour l'amour comme d'autres tombèrent pour la patrie. Et puis, tu sais, ce n'est pas grave de se casser la gueule, tu te la casseras encore, très souvent même, crois-moi, parce que la vie est un vélo rouge sans petites roues. Tu vas en manger du sable, jusqu'à l'indigestion, autant t'habituer au goût très tôt parce que tu vas t'avaler l'équivalent du Sahara. Alors oui, tu seras le dernier choisi dans les équipes de foot, tu vomiras sur des auto-stoppeurs, on interrompra brutalement tes dons de stylos au Bénin, tu planteras des griffes en plastique dans les narines des filles, tu mourras souvent d'attaques cardiaques et tes porte-serviettes ressembleront à des bites, mais un jour tu croiseras la route de quelqu'un qui modifie toutes tes perspectives et ton vélo rouge filera comme le vent.

Bonsoir à tous... Je ne vais pas faire long, ne vous inquiétez pas, j'en vois déjà qui bâillent parmi vous, je me demande si la vodka dans les bouchées à la reine était une bonne idée. (Rires.) (Pause.) Que dire ? Que dire qui n'ait déjà été dit à propos de Ludo et Sophie ? (Je me tourne vers eux. Légère pause.) Leur couple est si exemplaire qu'il n'y a rien à ajouter au tableau, il suffit de les regarder... Alors certes, Sophie aurait pu trouver mieux qu'un sosie de Jean Ferrat. (Éclats de rire, quelques *ouuuh* conviviaux.) Blague à part, je suis heureux, heureux pour ma sœur, pour Ludo aussi bien sûr, mais lui je le connais moins. (Rires. Cet Adrien alors, je ne savais pas qu'il était aussi drôle.) (Pause.) Ma sœur, ma petite sœur... Que je revois comme si c'était hier... C'est fou comme dans ce genre de moments un tas d'images remontent à la surface... Là par exemple, je te regarde et je vois la petite fille aux boucles blondes qui jouait avec Pitou dans le jardin, ce brave Pitou... Il me manque tant... (Pause.) Mais je suis sûr que de là où il est il te sourit, avec sa petite tête qui penchait sur le côté chaque fois qu'il te regardait. (Silence ému, quelques reniflements çà et là, ma sœur sourit, les yeux embués de larmes, sa lèvre infé-rieure tremble légèrement, Ludo la prend par la taille et la serre contre lui, il essuie une larme furtive.) (Pause.) Bon c'est bien joli tout ça mais ça ne fera pas arriver le suprême de dinde et ce n'est pas mon discours qui va vous remplir l'estomac, je vous souhaite une bonne soirée, que la fête continue et vive les mariés! (Applaudissements, hourras, sifflets complices, Ludo et Sophie viennent me retrouver et nous nous étreignons dans une sorte de triangle affectif, Sophie, émue aux larmes, plonge la tête sur mon épaule et Ludo me caresse fermement le dos. Vive Adrien, vive le discours d'Adrien.)

Je reprends un chocolat, regarde le mur de la cuisine et me dis qu'après tout il n'est pas si mal ce porte-serviettes.

DU MÊME AUTEUR

Romans

Aux Éditions Gallimard

FIGUREC, « Blanche », 2006 (Folio n° 6607).

LE DISCOURS, « Sygne », 2018 (Folio n° 6750).

Bandes dessinées

LE STEAK HACHÉ DE DAMOCLÈS, *La Cafetière*, 2005.

TALIJANSKA, *La Cafetière*, 2006.

DROIT DANS LE MÛR, *La Cafetière*, 2007.

LA BREDOUTE, *6 pieds sous terre*, 2007, réédition, 2018.

FIGUREC, avec Christian de Metter, *Casterman*, 2007 (adaptation du roman).

LIKE A STEAK MACHINE, *La Cafetière*, 2009.

LA CLÔTURE, *6 pieds sous terre*, 2009.

JEAN-LOUIS (ET SON ENCYCLOPÉDIE), *Drugstore*, 2009.

STEVE LUMOUR. L'ART DE LA WINNE, *Le Lombard*, 2011.

–20 % SUR L'ESPRIT DE LA FORÊT, *6 pieds sous terre*, 2011.

L'INFINIMENT MOYEN, *Même pas mal*, 2011.

AMOUR, PASSION & CX DIESEL, avec James et Bengrrr, *Fluide Glacial - Audie* (3 volumes, 2011, 2012, 2014, et intégrale, 2019).

L'ALBUM DE L'ANNÉE, *La Cafetière*, 2011.

ON EST PAS LÀ POUR RÉUSSIR, *La Cafetière*, 2012.

Z COMME DON DIEGO, avec Fabrice Erre et Sandrine Greff, *Dargaud* (2 volumes, 2012).

JOURS DE GLOIRE, *AlterComics*, 2013.

CARNET DU PÉROU. SUR LA ROUTE DE CUZCO, *6 pieds sous terre*, 2013.

MARS !, avec Fabrice Erre, *Audie*, 2014.

PARAPLÉJACK, *La Cafetière*, 2014.

LES IMPÉTUEUSES TRIBULATIONS D'ACHILLE TALON, avec Serge Carrère et Mel, *Dargaud* (3 volumes, 2014, 2015, 2016).

TALK SHOW, *Vide Cocagne*, 2015.

ZAÏ ZAÏ ZAÏ ZAÏ, *6 pieds sous terre*, 2015.

STEAK IT EASY, *La Cafetière*, 2016.

PAUSE, *La Cafetière*, 2017.

LES NOUVELLES AVENTURES DE GAI-LURON, Vol. 1: GAI-LURON SENT QUE TOUT LUI ÉCHAPPE, *Fluide glacial*, 2017.

ET SI L'AMOUR C'ÉTAIT AIMER ?, *6 pieds sous terre*, 2017.

JEAN-LOUIS, *Glénat*, 2018.

MOINS QU'HIER (PLUS QUE DEMAIN), *Glénat*, 2018.

EN ATTENDANT, avec Gilles Rochier, *6 pieds sous terre*, 2018.

ZÉROPÉDIA, Vol. 1: TOUT SUR TOUT (ET RÉCIPROQUEMENT), *Dargaud*, 2018.

CONVERSATIONS, avec Jorge Bernstein, *Éditions Rouquemoute*, 2018.

MARS ! UN PETIT PAS POUR L'HOMME, UNE BELLE ENTORSE POUR L'HUMANITÉ, *Fluide glacial*, 2018.

WALTER APPLEDUCK, Vol. 1: COW-BOY STAGIAIRE, *Dupuis*, 2019.

OPEN BAR, Vol. 1, *Delcourt*, 2019.

FORMICA : UNE TRAGÉDIE EN TROIS ACTES,
   6 pieds sous terre, 2019.

HEY JUNE, *Delcourt*, 2020.

COLLECTION FOLIO

Composition IGS
Impression Maury Imprimeur
45330 Malesherbes
le 03 novembre 2020
Dépôt légal : novembre 2020
1ᵉʳ dépôt légal dans la collection : janvier 2020
Numéro d'imprimeur : 249756

ISBN 978-2-07-287390-4 / Imprimé en France.